Bro Dafydd ap Gwilym

Cyflwynedig
i
NIA
ac
EMYR

Bro
Dafydd ap Gwilym

gan

David Jenkins

ABERYSTWYTH
CYMDEITHAS LYFRAU CEREDIGION
1992

Argraffiad cyntaf: Ebrill 1992

Rhif Llyfr Safonol Rhyngwladol: 0 948930 36 5

Cynllun y clawr: Y Cyngor Llyfrau Cymraeg

Cyhoeddwyd yn Aberystwyth gan Gymdeithas Lyfrau Ceredigion
ac argraffwyd yn Nhalybont gan Y Lolfa.

CYNNWYS

Lluniau 7

Rhagair 9

Y Wawr 13

Dafydd ap Gwilym a'i fro 27

'Come-some-luck' 49

Pencawna 75

Caer Broncastellan, Fron-deg, Fron-isaf a Glandŵr.

LLUNIAU

1 Caer Broncastellan, Fron-deg, Fron-isaf a Glandŵr .... Emyr Jenkins
2 Y gofeb ar sgwâr y Penrhyn .... Miss F. Hamer
3 Y murddun ym Mrogynin, tua 1890 .... J. Meurig Edwards
4 Cwmbwa, 1992 .... Emyr Jenkins
5 'Cadair Dafydd' uwchlaw Brogynin-fach .... Llyfrgell Ceredigion
6 Syr Thomas Parry yn dadorchuddio cofeb Dafydd, 1977 .... Tegwyn Jones
7 Penyberth tua 1900 .... Llyfrgell Ceredigion
8 Gloucester Hall: Plas Gwyn, tua 1900 .... Miss F. Hamer
9 Tyddyn y Penrhyn .... Llyfrgell Ceredigion
10 Melin Cwmbwa, tua 1930 .... Mrs M. Thomas
11 Gwaith mwyn Cwmsymlog, tua 1890 .... Mrs Mattie Morgan
12 Gwaith mwyn Cwmerfyn, tua 1890 .... Mrs Mattie Morgan
13 Pen-bont Rhydybeddau, 1990 .... Tegwyn Jones
14 Penrhyn-isaf, 1948 .... Miss S. L. Jenkins
15 Court Villa .... Llyfrgell Ceredigion
16 Ysgoldy Pen-bont Rhydybeddau .... Tegwyn Jones
17 Brêc John Magor, 1910 .... David Jenkins
18 Pedoli yn efail y Penrhyn, tua 1930 .... Llyfrgell Ceredigion
19 Ysgol Trefeurig, 1938 .... Mrs G. Edwards
20 Ysgol Trefeurig, 1992 .... Hugh Jones
21 Ysgol Penrhyn-coch, 1935 .... Mrs M. Jenkins
22 Ysgol Penrhyn-coch, 1992 .... Hugh Jones

Map: 'Taith i garu', Dafydd ap Gwilym .... David Jenkins

Graff: Cyfrifiadau Plwy Trefeurig
(a) Poblogaeth 1801-1991
(b) Tai 1841-1991 .... David Jenkins

Taflen galwedigaethau 1841-81 .... David Jenkins

Y gofeb ar sgwâr y Penrhyn.

RHAGAIR

Ym 1924, yn hogyn ysgol, fe ddeuthum i Frogynin-fawr i fwrw'r haf hefo fy mam-gu, a'i mab a'i merch Henry ac Elizabeth James. Yn gwbl annisgwyl bu farw f'ewythr ar ddechrau'r hydref ac yntau ond 42 oed. O ganlyniad mi gytunais innau aros dro, a'r diwedd fu imi gartrefu yno. Yn ystod y gaeaf hirfaith a ddilynodd, bu colli cwmnïaeth brodyr a chwiorydd a chyfoedion yn dreth drom ar f'ysbryd, heb sôn am y gwacter dwfn a grëwyd oherwydd colli llyfrgelloedd cyfoethog Cwm Rhondda. Yn eu lle, fodd bynnag, mi gefais y fraint o gael eistedd yng nghornel y fantell simdde i wrando, megis pry ar y pared, ar seiadu difyr hynafgwyr yr ardal, a barhâi i grynhoi yno yn hwyr y dydd i ddirwyn eu doe yn ôl. Ac os oedd edafedd yr hynaf ohonynt yn estyn i ganol y 19 ganrif, roedd pecyn eu hatgofion a'u straeon yn cydio wrth gyfnod llawer cynt. Wrth wrando'n astud, lygadrwth, arnynt y clywais gyntaf am Ddafydd ap Gwilym, a'r chwedl leol amdano'n llunio oed â llawer o ferched y fro ar yr un pryd ac yntau'n cuddio uwchben yng nghangau'r goeden! Clywais adrodd hyn a mwy fel petai'n rhan o'u profiad, ac fe daniwyd fy nghywreinrwydd.

Ffrwyth y cywreinrwydd hwnnw yw'r gyfrol hon—ac eto ni ddywedwyd mo'r cwbl yma. Yn wreiddiol bwriadwyd cynnwys hanes yr achosion yn Horeb (B) a Salem Coedgruffydd (A), oherwydd bu dylanwad ymneilltuaeth yn drwm iawn ar hanes y fro yn ystod y ddwy ganrif ddiwethaf yma, ond barnwyd mai doethach fyddai cyhoeddi'r hanesion hyn yn llyfryn ar wahân yn fuan.

Y mae arnaf bwythau lawer i nifer o gyfeillion a fu'n garedig a pharod iawn eu cymorth yn ôl y galw. Diolchaf felly i Mr Merfyn Hughes o Gomisiwn Henebion Cymru, Mr William H. Howells o Lyfrgell Ceredigion am gymhorthau lawer; Mrs F. J. Walker, Clerc Cyngor Cymuned Trefeurig; staff y Llyfrgell Genedlaethol; Gwasg Prifysgol Cymru am ganiatâd i ddyfynnu o *Gwaith Dafydd ap Gwilym,* gol. Thomas Parry (arg. cyntaf 1952); Mr Deulwyn Morgan, Prif Weithredwr Ceredigion, a'i staff; Mrs Glenys Howells a Miss Gwerfyl Pierce Jones am f'achub rhag y boen o ddarllen proflenni; Mr Elgan Davies o'r Cyngor Llyfrau am gynllunio'r cloriau; a'r ffotograffwyr, fel y nodir, a fu'n gyfrifol am y darluniau; i Gymdeithas Lenyddol y Penrhyn am gefnogaeth frwd; ac yn arbennig i Gymdeithas Lyfrau Ceredigion am gyhoeddi'r llyfr, ac i staff Y Lolfa am eu cydweithrediad parod ac amyneddgar wrth argraffu'r gwaith.

Gobeithio y caiff pob darllenydd gymaint blas ar y gyfrol ag a gafodd yr awdur wrth ei sgrifennu.

Y murddun ym Mrogynin, tua 1890.

Cwmbwa, 1992.

Y WAWR

Gynt, rhannwyd Ceredigion yn bedwar cantref, ond anghofiwyd enwau tri ohonynt. Yr unig un a arhosodd ar gof a chadw oedd yr un gogleddol a orweddai rhwng afonydd Ystwyth a Dyfi. (Yn y cyfnod cynnar hwn roedd afonydd a nentydd yn ffiniau sicr a hwylus rhwng tiroedd am eu bod yn hawdd i'w cofio a heb fod yn rhwydd i'w gwyro.) Yn wir roedd i'r cantref hwn nid un ond dau enw, sef y Cantref Gwarthaf a Phenweddig. (Yr enw gwreiddiol ar Gastell Gwallter, Llandre, oedd Castell Penweddig.) Am fod dalgylch yr ysgol gyfun Gymraeg, yn fras, yn cynnwys yr un diriogaeth â'r hen gantref, y galwyd hi'n Ysgol Penweddig.

Rhywdro, ni wyddom pryd, rhannwyd Penweddig yn dri chwmwd, sef Creuddyn, y mwyaf deheuol, Genau'r-glyn, y mwyaf gogleddol, a rhyngddynt—Perfedd. Ffin ddeheuol Cwmwd Perfedd oedd Afon Castell o Bumlumon hyd Bonterwyd, ac yna Rheidol hyd y môr yn Aberystwyth. I'r gogledd ei ffin oedd Afon Clarach at ei tharddle yn Lluest Trafle ac yna ar draws y mynydd i Aber Camddwr ar gyrion Cyfeiliog ym Mhowys. Yn ôl Buchedd Padarn cyflwynwyd Cwmwd Perfedd i Padarn gan Faelgwn Gwynedd a hynny fu hyd a lled plwy Llanbadarn Fawr o'r Canol Oesoedd hyd at y ganrif ddiwethaf. Pan oedd yr Esgob William Morgan yn ficer y plwy rhwng 1572 a 1577 estynnai ei ofalaeth o lan y môr yn Aberystwyth i gopa Pumlumon—gan gynnwys Trefeurig. Er mwyn hwylustod gweinyddol rhannwyd y plwy yn nifer o randiroedd neu barseli, e.e. Parsel Canol, Parsel Trefeurig, a.y.b., ond yn nawdegau'r ganrif ddiwethaf fe'u dyrchafwyd yn blwyfi annibynnol. Felly y lluniwyd plwyf Trefeurig, fel llinyn hirgul o'r Rhyd-hir ar Afon Peithyll i gopa Pumlumon.

Ni wyddom pwy oedd y Meurig a roddodd ei enw i'r plwy, er mae'n bur debyg mai'r un gŵr a gofir ym Maesmeurig sy'n gwarchod ceg y ffordd i Gwmsymlog a Chwmerfyn—dau gwm a fu gyda'r cyfoethocaf eu mwynau yng ngogledd Ceredigion. Barnai Lewis Morris mai enw'r afon yw'r ail elfen yng Nghwm-*erfyn* sy'n gyfystyr ag *arf,* megis a geir yn Cwm *Gwaun,* a Chwm *Cleddau* ym Mhenfro. Ar y llaw arall barnai

R.J.Thomas (*Enwau afonydd a nentydd yng Nghymru*) mai enw personol ar ddyn oedd Erfyn. Mynnai Lewis Morris fod morthwylion cerrig a ddarganfuwyd yng ngwaith Cwmerfyn yn brawf fod rhywrai wedi bod yno'n cloddio am fwyn yn gynnar iawn, a chredai yn ogystal, er nad oes tystiolaeth ddibynadwy o hynny, fod y Rhufeiniaid hefyd wedi gweithio yma. Fe all, felly, nad *erfyn* at ryfela a geir yma ond offer (*erfyn*) at waith megis cŷn, morthwyl, bwyall, a.y.b.

Y mae enw'r pentre Pen-bont Rhydybeddau yn gyfryw a ddeffry pob math o ddychmygion carlamus ond yn anffodus nid oes mewn llawysgrif nac ar lafar air am na brwydr na thrychineb a allasai fod yn hedyn ei darddiad. Tybed, er hynny, a fu yma rywdro frwydr rhwng amddiffynwyr Caer y Darren ac ymgyrchwyr o'r môr a geisiai ysbeilio plwm ac arian a chopr Cwmsebon? I'r anghyfarwydd, Cwmsebon yw'r rhigol gul o gwm sy'n gorwedd rhwng Pen-bont a Thy'n-gwndwn ar y ffordd i Gwmerfyn. Yng nghasgliad papurau stad Gogerddan (a gedwir yn y Llyfrgell Genedlaethol) ceir dogfen wedi'i dyddio 7 Hydref 1553, sy'n tystio i Richard ap Rees ap Dd Lloid dderbyn £4 gan Maurice ap Dd Gwyn am ddarn o dir a elwid yn 'tir Dd goch ap Lln ap Dd Vayn *lying between the river called* nant y sebon *and* hen glawdd *and the road leading to* Cwm ervin'. Tybed ai dŵr y nant yn ffrydio'n drochion dros wely caregog a barodd i rywun ei galw'n 'nant y sebon'?

Ym mhen isa'r plwy y saif Penrhyn-coch, ar y gwastadedd a orwedd rhwng Tirymynach (a fu'n eiddo Abaty Ystrad-fflur) a Chefn-llwyd sy'n codi o Ystrad Peithyll i'r Darren. Y mae'r enw Penrhyn yn disgrifio i'r dim y fro lle mae'r trwyn o fynydd-dir ar odre Pumlumon yn rhedeg i lawr gwlad. Y mae'r ail elfen (*coch*) yn llai amlwg ei ystyr gan nad oes na phridd na chreigiau o'r cyfryw liw yn yr ardal. Fe all, er hynny, mai ei darddiad oedd llysenw ar berson neu deulu o wŷr pengoch a fu, rywdro, yn tra-arglwyddiaethu yn yr ardal. Y mae'n ddiddorol sylwi mor fynych y digwydd mewn enwau lleoedd yn y cylch, megis Bont-goch, Comins-coch, Erw-goch, Fron-goch, a Rhos-goch. Yn y Canol Oesoedd roedd yn arferiad digon cyffredin cael cyfuniad o enw personol ac ansoddair yn dynodi lliw neu nodwedd gorfforol, fel y gwelwyd uchod yn achos y tir a werthwyd yng Nghwmsebon. Pan ddaeth yn ffasiynol yn Oes y Tuduriaid i efelychu'r Saeson trwy ddefnyddio cyfenwau teuluol fe drodd yr ansoddeiriau hyn yn gyfenwau a Seisnigwyd gydag amser. Felly, aeth Llwyd yn Lloyd, Gwyn yn Gwynne, Goch yn Gough, Vayn yn Mayne, Du yn

Dee, Gam yn Game, Fychan yn Vaughan, a.y.b.

Er mai Stewi a Seilo yw'r enwau a geir (ers y ganrif ddiwethaf) ar y ddwy afonig a red drwy'r dyffryn, os edrychwch chi ar fap o Geredigion a gyhoeddwyd gan Christopher Saxton ym 1578 fe welwch mai Maesaleg y gelwir y naill a Saleg y llall. Yr unig enwau eraill yn yr ardal a oedd bryd hynny'n ddigon pwysig i'w nodi oedd *Gogerthan* [Gogerddan], a *Ummabowa* [Cwmbwa]. Yr un enwau a geir hefyd ar nifer o fapiau cynnar, diweddarach.

At ei gilydd y mae'r enwau a geir ar ffermdai'r gymdogaeth yn bur hawdd eu dehongli gan nad yw'r mwyafrif ohonynt yn ddim mwy na chyfuniad o enw ac ansoddair i ddisgrifio'u lleoliad, megis Trawsnant, Ty'n-gelli, Glan'rafon, Penyberth, Pen-cwm, Fron-deg, a.y.b. Ceir eraill sy'n gyfuniad o enw cyffredin ac enw personol, e.e. Llwyngronw, Coedgruffydd, Bronfeurig, Llety-Ifan-hen, a Brogynin. Y mae Troed-rhiw-seiri a Chwm-y-glo yn fwy dyrys, fel y cawn weld eto, ac y mae Pen-banc yn taro dyn braidd yn chwithig o ystyried mai ar lawr y dyffryn y saif, eithr pan sylweddolir mai uwchlaw ceulan Afon Stewi y safai'r ffermdy gwreiddiol, mae'n bur debyg mai'r Saesneg *'bank'* (river-*bank*) yw'r ail elfen yn yr enw. Codwyd y ffermdy newydd ym 1960.

Dau enw arall sy'n amlygu dylanwad y Saesneg arnynt yw Llety-spens a Llety-caws—cymdogion yng Nghwmerfyn sy'n atseinio o ddyddiau cynnar y gwaith mwyn yno. Y mae'r elfen gyntaf, 'llety', yn Gymraeg cyfarwydd i bawb. Mewn Saesneg Canol ystyr *'spence'* oedd lle ar wahân i gadw bwyd a diod at ofyn dynion. Daeth y gair i'r Gymraeg ar ei ben yn *'spens'*, ac ystyr Llety-spens, felly oedd 'stordy bwyd' neu 'siop' ar gyfer y mwynwyr. Y mae lleoliad Llety-caws ar lwybr sy'n croesi'r llechwedd uwchlaw'r cwm—llwybr cyfleus iawn i fwynwyr a groesai o Goginan dros y Bwlch i waith Cwmerfyn—yn awgrymu'n gryf mai o'r Saesneg Canol *'cause'* (megis yn *causeway*) yn golygu ffordd neu lwybr caregog, y daw'r ail elfen, yn hytrach na'r Gymraeg 'caws' y clywais ei gynnig slawer dydd gan un neu ddau o 'haneswyr' lleol! Llety ar fin y ffordd greigiog neu garegog, felly, yw ystyr Llety-caws. Ar lafar y fferm nesaf i lawr ac ar yr un ochr o'r cwm yw'r Llwyn, ond yn ôl un o ddogfennau Gogerddan y mae i'r tyddyn hwn un o'r enwau tlysaf yn y plwy—Llwyn-llan-tesni.

Cyn i rywrai osod enwau ar y lleoedd hyn, roedd dynion wedi hen fwrw eu gwreiddiau yn y gymdogaeth fel bugeiliaid ac amaethwyr.

Ond beth am y dynion cyntaf a sefydlodd yma? O ble y daethant, a pha dystiolaeth a adawsant o'u hôl? Bernir mai o dueddau Llydaw a gorllewin Ffrainc y daeth y mewnfudwyr cyntaf, gan hwylio'u cychod yn fentrus ar draws y môr i chwilio am ddarn newydd o ddaear yn gartre iddynt. Am fod y ddau benrhyn, Penfro a Llŷn, yn haws taro arnynt na'r rhan ddiarffordd hon o Gymru, nifer fach, mewn cymhariaeth, a laniodd ar draethau Ceredigion.

Rhai blynyddoedd yn ôl cafwyd o hyd i domen o gerrig callestr (*flint*) yn ymyl traeth Tan-y-bwlch wrth droed Pendinas a gerllaw ceg Afon Ystwyth. Yn eu plith roedd amrywiaeth o offer ac arfau amrwd a chyntefig megis blaen-saethau at hela, harpwnau at bysgota, cyllyll, a.y.b. Gan nad yw'r garreg galed hon i'w chael yn y cyffiniau, bernir mai cerrig unigol a olchwyd i'r traeth gan y môr tymhestlog oedd y rhain, ac am fod llawer o sglodion cerrig yno hefyd, fe dybir mai ffatri o fath oedd yma a ofalai am offer ac arfau i'r bobl a ymsefydlodd yn y cylch.

Yna, tua 1800 Cyn Crist, cyrhaeddodd ton arall o fewnfudwyr ar draws y môr o Ffrainc ac yn arbennig felly o Sbaen. Credir mai dynion byr o gorff, tywyll eu croen, hirben â gwallt du a llygaid o'r unlliw oeddynt hwy—o'r math a oedd, hyd yn ddiweddar iawn, i'w gweld yn ddigon cyffredin yng nghefn gwlad Ceredigion ac yn arbennig felly yng nghyffiniau Pumlumon.

Roedd ganddynt eitha clem sut i drin y tir a dofi anifeiliaid, a llawn mor bwysig efallai, fe wyddent sut oedd bwrw llestri pridd yn ogystal â llunio gwell offer trwy roi amgenach min ar gyllell garreg. Roedd iddynt hefyd un nodwedd bersonol arbennig sef eu bod yn codi cistfeini mawr i gladdu eu meirw ynddynt, o'r math a welir ym Môn a Phenfro. Dyma'r Oes Fegalithic neu'r Garreg Fawr. Ni chodwyd—o leiaf ni chadwyd—cymaint ag un o'r cistfeini anferth hyn yn y rhan yma o Gymru, er, roedd yna draddodiad llafar cryf o fewn cof, mai dyna'n wreiddiol oedd y Garreg Fawr a welir hyd heddiw wrth gefn y Gofeb Ryfel ar Sgwâr Llanbadarn Fawr.

Er nad ydynt mor nodedig â'r cistfeini neu gromlechi a welir yn ne Dyfed a Gwynedd, fe gododd yr Iberiaid hyn nifer o feini hir yn yr ardal hon sy'n dal i dystio amdanynt. Fe welir dwy ohonynt hyd heddiw fel gwylwyr y ffin, ar hen gae rasys Gogerddan—un bob ochr i'r hafn a dorrwyd yn y 30au i dderbyn darn newydd o'r ffordd fawr (A4159: Lovesgrove/Bow Street) rhwng croesffordd *Royal Oak* a phont y *Lodge.* Chwalwyd hen goel gref pan agorwyd y darn yma o'r ffordd, oherwydd hyd hynny credai rhai o'r ardalwyr mai nodi bedd cawr a wnâi'r ddau faen! Pan fu archaeolegwyr yn cloddio o gwmpas traed y cerrig hyn yn ystod haf 1987, y cyfan a gafwyd oedd casgliad amrywiol o bibau smygu pridd wedi'u torri. 'Doedd hynny ryfedd yn y byd, oherwydd dyma stand pendefigion y plas wrth wylio a betio ar y ceffylau a fyddai'n raso yn y 18 a'r 19 ganrif o Cae Gwyn (am y clawdd â gardd y plas) ar draws y groesffordd isaf i Cae Penrhyn, ymlaen a thros Afon Clarach, heibio Rhyd-hir a chyn belled â Llangorwen, cyn troi'n ôl dros Cae Gwastad a Chae Rhyd-y-mingoch (lle saif y maen hir agosaf i'r plas).

Yn ôl E. G. Bowen ac A. J. Bird (dau awdurdod yn y maes) cadwyd y cerrig hyn fel mynegbyst rhwng y môr a'r mynydd i ddynodi'r llwybrau at y tiroedd amaethyddol gorau, yn ogystal â nodi ffynhonnau o ddŵr glân. Ceir nifer ohonynt gerllaw tarddiadau nentydd sy'n rhedeg i afonydd Leri a Rheidol ond y drwg yn fynych yw bod ambell un wedi'i thorri (a'i symud) i'w haddasu yn bostyn llidiart. Cyhoeddodd A. J. Bird ei arolwg gwerthfawr iawn o'r meini hir a welir yn sir Ceredigion (*Ceredigion,* VII, i, 1972), a noda chwech ohonynt a welir o hyd ym mhlwy Trefeurig—y mwyafrif ohonynt ar y mynydd.

Ni wn i am yr un arall o'r meini hir hyn ym mhen isa'r plwy, ond wedi ichi ddringo'r rhiw o Ben-bont i Gwmsymlog, os edrychwch i'r dde fe welwch ddwy ohonynt wedi'u codi tua 200 llath oddi wrth ei gilydd ar gae sy'n dwyn yr enw awgrymog Cerrig yr Ŵyn. Yn anffodus torrwyd un ohonynt fel nad yw bellach ond tua 30 modfedd o uchder. Credai rhai o'r hen frodorion iddynt gael eu gosod mewn llinell union â'r ddwy sy ar wastad Gogerddan. Boed a fo am hynny, un peth sy'n sicr, sef na cheir o un man arall amgenach olygfa o'r dyffryn yn ei hyd o Ben-bont i draethau Clarach. Os bwriwch chi yn eich blaen dros hen waith mwyn Cwmsymlog, a'i simdde fawr yn gofgolofn i ddiwydiant a fu, fe welwch dyddyn yn swatio yng nghesail y foel a'i enw—Pant-y-garreg-hir—yn huawdl gyhoeddi ei dras. Daliwch i ddringo'r ffordd arw, heibio i Dan-y-foel, drwy'r goedwig a blannwyd yn y 30au ac a dorrir i lawr y dyddiau hyn, ac fe ddeuwch at Pond Pendam. Ymhen hanner milltir bydd y ffordd blwy yn croesi argae Llyn Blaen-Melindwr, ac ymhen y filltir fe ddeuwch at dair carreg—y gyntaf ar ei phen ei hun, a'r ddwy arall rai llathenni i ffwrdd fel petaent yn cynnal sgwrs yng ngolwg Disgwylfa Fach. I'r dieithr ar ei hynt maent fel mynegbyst i'r helaethrwydd o dir pori mynyddig da sy'n ymestyn draw tua lluest y Wenffrwd a thu hwnt i Dinas a Phonterwyd.

Gyda threigl amser magodd rhai o'r cerrig hyn rinweddau crefyddol-baganaidd ym meddyliau pobl ofergoelus, gan esgor ar gorff o lên gwerin eitha diddorol. Un gred y clywais ei hadrodd hanner canrif yn ôl gan fugeiliaid a thyddynwyr ym mhen ucha'r plwy oedd nad erthylai anifail (buwch neu gaseg yn arbennig) a rwbiai'i chorff yn un o'r cerrig hyn. Mwy diddorol, efallai, yw fod dwy garreg wen (*quartz*) yn dal ar eu traed y tu draw i Lyn Nant-y-moch ar Bumlumon a elwir 'y fuwch a'r llo'. Roedd yna ddwy debyg, o fewn cof, hefyd yn sefyll y tu hwnt i'r clawdd ar y llaw chwith, hanner y ffordd rhwng Pen-cwm a Bont-goch. 'Y fuwch a'r llo' y gelwid hwythau a thystia Mr W. J. Jones, Nantseilo (Bwlchroser gynt) fod y cerrig hyn yn nodedig am eu bod yn sefyll ar union linell eira'r ucheldir yn ogystal â'u bod yn nodi ffin pob niwl o'r mynydd. Gellir felly'n hawdd ddychmygu iddynt fagu arwyddocâd dirfawr ym meddyliau'r ofergoelus.

Ym 1923 symudwyd 'y fuwch' i Sgwâr y Penrhyn i fod yn Gofeb Ryfel—ond nid ar chwarae bach! Oes y ceffylau gwedd oedd hi bryd hynny—ar ddechrau'r Ail Ryfel Byd (1939) y daeth y tractor cyntaf i'r ardal—a chlywais adrodd gan rai a fu wrthi fod tri phâr o geffylau gwaith wedi torri nifer o gadwyni haearn cyn llwyddo i dynnu'r 'fuwch' o'i chynefin. I rai ardalwyr roedd hyn yn arwydd sicr o ymyrraeth ddi-chwaeth. Heddiw fe waherddid y cyfryw weithred ond am reswm gwahanol, sef nad oes hawl gan neb i chwalu creiriau o'r fath. Yn ôl a ddeallaf, fe chwalwyd y 'llo' yn ddarnau gan ordd gŵr a'i mynnai i harddu ei ardd flodau, ond yn ei galon a ddirmygai'r cwlwm a'i clymai wrth wawr ofergoelus ein hanes.

Gerllaw'r fan lle safai'r cerrig hyn, yn ystod haf 1955 bu Mr C. H. Houlder o Gomisiwn yr Henebion a chriw bach o wirfoddolwyr yn agor a chwilio twmpath, rai llathenni i ffwrdd yn yr un cae, ond yn lled amlwg o'r ffordd. Wedi codi haen o dyweirch a cherrig gwelwyd bod y tyfiant gwreiddiol wedi'i glirio gan dân a ddefnyddiwyd hefyd, mae'n debyg, i roi blaen i nifer o byst coed a osodwyd tua deunaw modfedd ar wahân i ddiogelu'r bedd a orweddai o fewn cylch a fesurai 35 troedfedd ar draws. O'r tu allan i'r cylch torrwyd ffos gan adael gwrthglawdd tua chwe throedfedd o uchder ac iddo oledd serth. Defnyddiwyd gweddill y pridd a'r cerrig o'r ffos i godi ail glawdd allanol.

Yn y cylch mewnol cafwyd o hyd i ddau fedd, y naill o Oes y Piser (*Beaker Age*) tua 1800 CC a'r llall o Oes y Pres (*Bronze Age*) tua 1000 CC.

Fel rheol claddai gwŷr y piserau y corff yn ei gwrcwd (fel petai'n cysgu) gan ei osod i orwedd ar ei ochr dde â'r pen i gyfeiriad y de, a chan gredu fod bywyd wedi hyn o fyd, gosodent lestr o ddiod a blaen-saeth i'w gynnal ar ddechrau'r daith. Yma, fodd bynnag, yr hyn a gafwyd oedd darn o grymog (*tibia*) coes dyn—bernir bod gweddill y corff wedi'i amsugno gan y pridd; darnau o biser neu lestr pridd, tua 7½ modfedd o uchder, o liw coch, wedi'i grasu'n dda ar ôl ei addurno â chyfres o farciau digon amrwd a wnaed â phren pigfain neu asgwrn; a dau ben-saeth. Barna Mr C. H. Houlder fod patrwm y llestr yn awgrymu mai un o lwyth a grwydrodd yma dros y bryniau o'r gogledd yn hytrach nag o'r de a gladdwyd yma.

Nid oes dystiolaeth faint o amser yn union a fu cyn yr ail gladdedigaeth, ond erbyn hynny, fodd bynnag, amlosgi'r corff oedd y ddefod ddewisol. Agorwyd y bedd yn hytrach ar lun wy, 4¼ troedfedd o hyd a 2½ troedfedd o led. Yn gwbl annisgwyl estynnai i mewn i'r bedd cyntaf. Ar lan y bedd roedd olion tân yr amlosgiad, a seliwyd wyneb y ddau fedd gan do o gerrig gwastad yn mesur tua chwe modfedd yr un. Yn y pen dechreuol i'r bedd cafwyd o hyd i bentwr bach o lwch, a gerllaw gweddillion cwpan pridd bychan wedi'i addurno'n ddigon amrwd gan batrwm a luniwyd gan ewinedd y gwneuthurwr.

Y mae chwilio'r beddau cynnar hyn yn waith arbenigol i archaeolegwyr proffesiynol, oherwydd heb wybodaeth fanwl a chryn brofiad, y mae'n hawdd iawn colli tystiolaeth ddadlennol am gredo ac arferion brodorion cynharaf y rhan yma o'r wlad. Bellach y mae cyfraith gwlad yn gwahardd aredig neu ymyrryd mewn un ffordd â'r mannau hanesyddol hyn. Ond nid felly yr oedd hi ym 1851. Ar ddydd Mawrth, 11 Chwefror y flwyddyn honno, wrth baratoi i aredig Cae Baker (sef y maes chwaraeon presennol), penderfynodd William Claridge, tenant Penyberth, ei bod hi'n hwyr bryd iddo orffen clirio'r garn o gerrig a fu, ers cyn cof, ar ganol y cae, ac yn achos torri llawer swch aradr. Roedd rhywrai eisoes wedi cipio'r cerrig mwyaf, a chludodd Claridge rai llwythi cert oddi yno cyn taro ar lwybr wyth llath o hyd o gerrig gosod yn arwain i ganol cylch y garn. Yno, daeth o hyd i garreg wastad, a phan gododd hi, darganfu gawg wedi'i droi wyneb i waered ar lawr cerrig, ac ynddo roedd ychydig esgyrn a phin tlws 2¾ modfedd, o bres neu fetal cyffelyb. Mae'n bur sicr mai lludw corff a amlosgwyd oedd yn y cawg, ond yn anffodus oherwydd ei wneuthur o glai a'i sychu gan haul a gwynt yn hytrach na'i grasu mewn tân, fe chwalodd y llestr yn nwylo William Claridge yn yr un modd, yn ôl yr hanes (gweler *Arch.Camb.* 1851, t.164, a 1868, 249-50), ag y digwyddodd i gawg tebyg a ddarganfu ei dad mewn rhan arall o'r garn. Dywedir i'r tlws gael ei gyflwyno i T. O. Morgan, gŵr amlwg yn Aberystwyth, a gohebydd lleol *Archaeologia Cambrensis.* Ni wn ddim o'i hanes heddiw, gwaetha'r modd. Awgryma maint y garn wreiddiol fod y gŵr a gladdwyd yma yn arweinydd o bwys.

Efallai mai'r darganfyddiad mwyaf syfrdanol a wnaed yn y plwy hyd yma oedd hwnnw, yn ystod haf 1987, gan archaeolegwyr Dyfed a fanteisiodd ar y cyfle i chwilio rhag blaen lwybr y bibell nwy a osodwyd o'r gogledd i Aberystwyth. Yn y cae bach triongl ger croesffyrdd Gogerddan cafwyd o hyd i fynwent fechan a seiliau adeilad a allai fod yn gell fechan y tybir ei bod yn dyddio o oes Sant Padarn sef tua 560 O.C. Os cywir y dyb dyma un o fynwentydd Cristnogol cynharaf gogledd Ceredigion, a hynny'n ddiddorol iawn ar y ffin rhwng plwyfi Llanbadarn Fawr a Llanfihangel Genau'r-glyn sef gwlad Maelgwn Gwynedd. Hwyrach mai at wasanaeth un o ddisgyblion Padarn y bwriadwyd y gell, i'w defnyddio pan fyddai'n cenhadu yn yr ardal hon. I'r de o'r fynwent fe welir twmpath sylweddol sy'n awgrymu fod yma unwaith gaer fechan at wasanaeth y mewnfudwyr cyntaf a laniodd yng Nghlarach, neu bod yma fedd rhywun o bwys. Amser a ddengys. Soniwyd uchod am yr hen goel bod cawr wedi'i gladdu rhwng y ddau faen hir a geir yn y caeau hyn. Tybed ai adlais o'r fynwent gynnar oedd hyn, neu ymgais i ddiogelu'r lle rhag cael ei anrheithio? Ar y llaw arall gall nad oedd yn ddim mwy na chynnig i gadw pobl draw, ac wrth hynny, i sicrhau preifatrwydd Plas Gogerddan a saif o fewn tafliad carreg neu ddwy i'r fan.

Ychydig iawn o yrnau claddu o'r math a ddarganfuwyd yng ngogledd Ceredigion—dim mwy na dwsin. Y mwyaf diddorol ohonynt yn ddiamau yw'r un y trawyd arno ym mis Mawrth 1926 gan dorrwr beddau ym mynwent Capel Pen-llwyn, oherwydd y mae wedi'i addurno yn union ddull y Gwyddelod, sy'n profi fod cyswllt agos rhwng Iwerddon a'r ardaloedd hyn yn ystod Oes y Pres. Diogelir yr wrn gwreiddiol yn yr Amgueddfa Genedlaethol yng Nghaerdydd ond gellir gweld copi da ohono yn Amgueddfa Ceredigion yn Aberystwyth. Yn ôl yr arbenigwyr y mae'r ychydig offer ac arfau o'r cyfnod yma (yn cynnwys tarian o Gors Fochno, bwyell o Gefn Coch, Glandyfi, a *halberd* [bwyell ryfel] o Bont-rhyd-y-groes) a ddarganfuwyd, yn tystio fod y Gwyddelod yn tramwyo'r ffordd hon i fasnachu â de-ddwyrain yr ynys.

Os teithiwch y ffordd fynyddig o Benrhyn-coch i Bonterwyd, yn union wedi ichi fynd heibio i Pond Pen-dam a Llyn Melindwr, fe ddeuwch i gysgod Disgwylfa Fach, a thu hwnt iddi i'r gogledd, Disgwylfa Fawr—dau o fryniau Pumlumon. Yn ystod haf 1937 aeth y diweddar Alfred Jenkins, Ponterwyd, a J. W. Smith, ysgolfeistr o Birmingham, i gloddio hen fedd ar gopa Disgwylfa Fawr. Nid oedd ynddo arlliw o gorff, a hynny, mae'n debyg am fod y pridd asidic wedi'i amsugno. Roedd yno'r llestr bwyd arferol, ond mwy diddorol o lawer oedd iddynt hefyd ddatgelu dau foncyff derw wedi'u ceibio ar lun cychod, ac yn ôl profion radio carbon roedd yr hiraf o'r ddau yn dyddio o tua 1900 C.C., a'r lleiaf o gwmpas 1350 C.C. Casgliad y diweddar E. G. Bowen (*A history of Llanbadarn Fawr,* t.8) oedd fod hyd yn oed y dynion cyntefig oedd yn byw ar yr hen fynyddoedd hyn yn rhyw synhwyro fod bywyd wedi hyn o fyd a threfnwyd cwch i gludo ysbryd y marw ar draws yr Afon a rannai ddeufyd, megis y credodd dynion llawer gwareiddiad drwy'r oesoedd.

Yn ystod y mil blynyddoedd cyn Crist dirywiodd tywydd y wlad hon yn ddirfawr. Gynt, roedd y tywydd sych a chynnes wedi'i gwneud hi'n haws byw ar y mynydd-dir, ac er na wyddom fawr am y cyfnod hwn yn hanes y brodorion, yn ddiweddar cofnodwyd peth tystiolaeth hynod ddiddorol am y sefydliadau mynyddig hyn trwy gyfrwng technolegau gwyddonol diweddar. Yn ystod haf crasboeth 1976 fe hedfanodd nifer o archaeolegwyr a ffotograffwyr profiadol mewn awyren dros Bumlumon a thynnu oriel o luniau o'r tirwedd crimp islaw, ac o ganlyniad datgelwyd toreth o amlinellau olion hen oesau wedi'u lled-guddio o dan orchudd o bridd. Mae'n debyg y deuir o hyd iddynt i gyd yng nghyflawnder amser a chawn ddysgu'n amgenach sut fywyd a dreuliai'r bobl a fu yno'n byw.

Am i'r tywydd droi'n oer a gwlyb fe newidiodd ansawdd y wlad a dull dyn o fyw. Yn lle'r borfa fras a gaed gynt ar y mynydd-dir, trodd pob pant yn fawnog, a'r cymoedd ar lawr gwlad yn gors neu fforest. Tua 750-500 C.C. daeth ton ar ôl ton o Geltiaid o Ewrop i'r wlad yma—rhai ohonynt o wlad Gâl ar ffo rhag llid y Rhufeiniaid. Gwŷr tal, gwallt golau a llygaid gleision oeddynt hwy, yn feistri ar drin haearn a'i droi'n arfau ac yn offer bendithiol. Yn araf crwydrodd rhai ohonynt hwythau i ogledd Ceredigion gan sefydlu'n gyntaf ar Bendinas lle codwyd pentref o gaer i'w diogelu rhag gelynion ac anifeiliaid gwyllt. Yn araf ymwthiodd rhai o'r bobl hyn i'r wlad o gwmpas gan sefydlu ar gopaon bryniau, a chodi caerau amddiffynnol tebyg ond llai eu maint. Yn ôl arolwg a wnaeth Dr A. H. Hogg gellir cyfrif cynifer â 31 ohonynt i'r gogledd o'r afonydd Ystwyth-Wyre. Dewiswyd y safleoedd hyn yn arbennig gan wŷr craff a'u bryd ar sicrhau golwg barcud ar y wlad o gwmpas yn ogystal â gofalu eu bod o fewn golwg a chyrraedd cymharol hawdd i'w gilydd. Siaradai'r bobl hyn y Frythoneg, sef cangen o'r iaith Gelteg, a ddatblygodd ymhen canrifoedd yn Llydaweg, Cernyweg, a Chymraeg. Dringwch i ben Broncastellan, Pen-gaer (uwchlaw'r gyffordd i Benrhiwnewydd a Phen-bont), Blaencastell (ger Cwm-y-glo), a'r mwyaf ohonynt, y Darren, a chewch brofi o hud a lledrith eich milltir sgwâr.

Saif Broncastellan tua 525 troedfedd uwchlaw'r môr gyda dwy ffos a chloddiau amddiffynnol i'r gogledd, de a'r gorllewin. Oddi arno cewch olwg godidog ar ddyffrynnoedd Clarach, Peithyll a'r Penrhyn, a draw dros Gastell Gwallter neu Enau'r-glyn dros y Borth a Thraeth Maelgwn i Aberdyfi.

Dringwch i ben Caer y Darren a chewch gip ar gopaon bryniau gogledd Ceredigion hyd Fynydd Bach a Phendinas, a thros Afon Ddyfi i Feirionnydd. Yr olygfa fwyaf cynhyrfus, fodd bynnag, yw'r un, megis dros erchwyn y gaer, pryd o'r braidd na welwch chi gerrig aelwyd Pen-bont Rhydybeddau wrth syllu i lawr ar ei simneiau. Neu eto, gadewch i'ch llygaid ddirwyn eu ffordd i fyny'r hollt o ddaear sy'n ymestyn i'r incil o bentref Cwmerfyn.

Unffurf hirgul yw'r caerau hyn ond amrywiol eu maint, gyda'r Darren a Broncastellan yn mesur tua phedair cyfer a hanner, a Phengaer a Blaencastell tua chyfer a hanner. Pendinas (Aberystwyth)—y bwysicaf o ddigon—yw'r unig gaer yng ngogledd y sir a gloddiwyd hyd yn hyn, ond gan fod i'r Darren gymaint bri oherwydd y mwynau a godwyd o'i chwmpas o gyfnod bore iawn, tybed na ddaeth yn amser i'r archaeolegwyr droi ati i'w harchwilio? Rhwng y gaer a'r môr saif Crib y Ceiliog o'r lle y galwai'r gwylwyr eu rhybudd pan dorchai mwg uwchben Broncastellan. Lawer gwaith y clywais adrodd gan hen fwynwyr y cylch am y cawg arian drudfawr a gladdwyd gynt ar y gaer, ond na feiddiai neb fynd i gloddio amdano rhag y storom o fellt a tharanau a ddeuai ar ei warthaf, gan ei adael yn orffwyll! Stori hen wrach, meddech. Efallai. Ond tebycach o lawer yw mai cyfrwystra rhywun yn y gorffennol pell oedd hyn i ddychryn gwerin ofergoelus rhag ymyrryd â'i gynlluniau ef i daro ar wythïen o arian a orweddai o dan ei draed.

Ychydig i'r de o'r Darren y mae fferm a ddwg yr enwau amrywiol Moelfryn (ar fapiau ordnans) a Moelbren a Moelfren ar lafar. Yn ôl J. G. Williams (*British encampments*) roedd yno garn yn mesur 45 troedfedd o gylchedd a elwid gan rai o'r brodorion yn Carn-penmorbren a chan eraill yn Carn-penmoelfren, ond gan Lewis Morris yn Bryngwyrfyl. Tystiai Williams fod llawer o'r cerrig uchaf ar y garn wedi'u cludo ymaith i godi tai-allan i'r fferm. Saif gweddillion y garn hyd heddiw tua 200 llath ar y llechwedd y tu cefn i'r ffermdy, fel bwrdd crwn â phant yn ei ganol fel petai rhywrai wedi bod yno'n cloddio gan adael tua dwsin o gerrig sylweddol fel wyau mewn nyth. Ceir oddi yno olygfa syfrdanol o ddyffryn Rheidol, o Fwlch Nantyrarian, dros Goginan a Phen-llwyn hyd Bendinas a'r môr.

Bugeiliaid yn bennaf, a ffermwyr digon elfennol oedd trigolion y caerau hyn. Ar y cyfandir roedd y Celtiaid wedi dysgu gwneud arfau haearn megis swch aradr, bilwg a chryman, yn ogystal ag arfau rhyfel. Tyfent ychydig gropiau llafur megis barlys a cheirch, ac ychydig lysiau, ac roeddynt yn helwyr penigamp. Adeiladent dai crwn â tho gwellt, a'r llawr wedi'i suddo'n is na wyneb y ddaear o'i gwmpas er mwyn sicrhau rhywfaint o glydwch ar dywydd oer a gwyntog. Pan dynnwyd lluniau o'r awyr o gaer y Darren fe ddatgelwyd amlinell olion seiliau nifer o'r tai.

Yn raddol yn ystod y ddwy ganrif Cyn Crist mentrodd y bobl hyn y tu hwnt i gloddiau'r gaer, gan ymsefydlu ar y llechweddau cyfagos cyn symud i lawr gwlad. Dim ond tŷ digon amrwd yn gysgod, a darn bychan o dir i'w bori a'i aredig oedd y tyddynnod cyntaf yma. Fe welir olion o'r patrwm hwn o sefydlu cynnar yn y nifer tyddynnod bychain a gaed unwaith ar y llechwedd islaw caer Broncastellan—y cyfan bellach yn rhan o fferm Fron-deg. Ym mis Ebrill 1861 cymerwyd Broncastellan a Fron-isa ar rent gan David Edwards a John James; a Fron-deg a Ty'nllechwedd (oedd newydd eu huno) ar rent o £9.10s gan David Thomas. Yng nghyfrifon rent Gogerddan am 1788 cofnodir derbyn £3 am Glandŵr-uchaf, a £4.15s am Glandŵr-isaf a Tŷ-cam. Dyma felly saith o dyddynnod gynt lle heddiw y ceir saith o gaeau Fron-deg. Awgryma hyn mai cymdeithas sefydlog iawn a gafwyd am ganrifoedd lawer cyn diwedd y 18 ganrif. Wedi hynny daeth cryn dro ar fyd drwy gyfuno mân dyddynnod â ffermydd er mwyn creu amgenach unedau economaidd. Ar wahân i fferm Fron-deg ni saif bellach ond dau dŷ annedd sef Fron-isa a Glandŵr.

Yn raddol ymwthiodd rhai o'r Celtiaid yma i fynydd-dir Pumlumon, a chael bod manteision iddynt o yrru defaid a gwartheg i bori yno dros yr haf. Felly y tyfodd 'hafota' yn arfer gwerthfawr i bob ffermwr llawr gwlad. Yn yr ardaloedd hyn *lluest* yn hytrach na *hafod* oedd y gair a ddefnyddid am y lleoedd hyn. Ym 1744 gwnaeth Lewis Morris arolwg o Gwmwd Perfedd lle sonnir am Luest Nant Glas, Lluest Syfydrin, Lluest Bwlch Ystyllen, Lluest Blaen Melindwr, ac yn y blaen. Dywed fod yr arfer o *hafota,* mwy na pheidio wedi darfod erbyn hynny gan fod y lluestau wedi troi yn gartrefi parhaol.

Yn dilyn ymgyrchoedd o'r Cyfandir ym 55 a 54 C.C. fe oresgynnodd y Rhufeiniaid y rhan fwyaf o Brydain. Un o'u campau mwyaf buddiol oedd adeiladu ffyrdd lled unionsyth ar draws y gwledydd a orchfygwyd er mwyn hwyluso trafnidiaeth rhwng eu gwersylloedd. Ffordd felly oedd y Sarn Helen a gysylltai Caerfyrddin a Llanio yn y de â Phennal a Chaernarfon yn y gogledd. Olrheiniwyd ei chwrs yn weddol sicr o Lanio hyd lan Afon Rheidol yng nghyffiniau Pen-llwyn. Erbyn hyn bernir bod gwersyll bychan ar y llechwedd uwchlaw'r ysgol gynradd sy'n cefnogi'r dyb fod y ffordd yn bwrw ymlaen ar draws tiroedd Ty'n-cwm a Fron-saint cyn croesi i Lwyngronw a Phenrhyn-isaf ac yna heibio i'r Cwrt, Pen-cwm, Llety-llwyd a Thal-y-bont cyn codi i'r ucheldir heibio i Ben-sarn (ger bedd Taliesin) a disgyn i Warcwm Uchaf ac ymlaen drwy Afon Ddyfi i Bennal.

Ni wyddom ddim am yr ardal hon am rai canrifoedd wedi i'r Rhufeiniaid adael Prydain ond awgrymodd y diweddar E. G. Bowen yn *A history of Llanbadarn Fawr* y gallai fod Cristnogaeth wedi dechrau bwrw'i gwreiddiau yng Nghymru hyd yn oed mor gynnar â'r 4-5 ganrif a bod posibilrwydd cryf fod Llanbadarn yn gartref i un o dair 'esgobaeth' Gymreig ymhell cyn dyddiau Sant Padarn. Rhywdro tua chanol y chweched ganrif O.C. cyrhaeddodd ef a'i ddilynwyr lannau Afon Rheidol a sefydlu yno fynachlog fechan a fu'n ganolfan cenhadaeth lwyddiannus iawn yng ngogledd Ceredigion. Yn ail hanner yr 11 ganrif roedd Llanbadarn Fawr yn enwog iawn fel canolfan dysg a feithrinwyd gan Sulien (a fu'n esgob Tyddewi ar ddau gyfnod sef 1073-8 a 1080-5), a'i bedwar mab Rhygyfarch, Arthen, Daniel a Ieuan. Ym 1988 trefnwyd arddangosfa barhaol eithriadol ddiddorol yn yr Eglwys y dylai pawb o'r ardalwyr fynd i'w gweld.

'Cadair Dafydd' uwchlaw Brogynin-fach.

Syr Thomas Parry yn dadorchuddio cofeb Dafydd, 1977.

DAFYDD AP GWILYM A'I FRO

Yn y Canol Oesoedd roedd i Enau'r-glyn bwysigrwydd y tu hwnt i'w faint gan ei fod yn cynnig porth cyfyng rhwng de a gogledd Cymru ar yr arfordir. Nid oedd tramwyo dros Bumlumon ddiarffordd na hawdd na hwylus, a thua'r glannau roedd Cors Fochno'n hunllef i'r anghyfarwydd, ac nid ar chwarae bach y mentrai neb groesi ceg Afon Ddyfi gan mor beryglus o chwyrn a chyflym y rhedai'r llanw a thrai. Croesi o fferm y Morben ger Derwen-las i gyffiniau Pennal ym Meirionnydd a wnâi Dafydd ap Gwilym fel y gwnaeth y Rhufeiniaid gynt, a Gerallt Gymro ar y daith enwog a gymerodd ym 1188.

Pan oresgynnwyd gogledd Ceredigion gan y Normaniaid yn nechrau'r 12 ganrif fe godwyd nifer o fân gestyll ganddynt er mwyn cryfhau eu gafael ar y wlad. Felly y daeth Walter de Bec i Enau'r-glyn a chodi yno gastell a alwyd wrth ei enw yn Gastell Gwallter. Adeiladwyd un arall ar lan Afon Ystwyth i warchod Tan-y-bwlch a'r ffordd tua'r de, a rhyngddynt codwyd un ym Mheithyll i ofalu, ar y naill law, am y ffordd i'r Darren, ac ar y llaw arall y ffordd o Enau'r-glyn i Lanbadarn. Nid pawb, fodd bynnag, oedd yn barod i wisgo'r iau hwn yn ysgafn, ac er nad oedd ond cysgod gwelw o'i dad, fe arweiniodd Gruffydd ap Rhys ap Tewdwr wrthryfel yn erbyn y Normaniaid yng ngwanwyn 1116. Wedi peth llwyddiant yn ne'r sir, cyrhaeddodd ef a'i wŷr Ystrad Peithyll lle'r oedd ychydig filwyr yn gofalu am deulu Razo'r Norman a oedd, yn rhinwedd ei swydd fel cwnstabl Tan-y-castell (Tan-y-bwlch), yn diogelu'r lle hwnnw. Cymerodd Gruffydd gastell Peithyll yn gwbl ddidrafferth a'i losgi, a lladd pawb oedd yno cyn symud ymlaen i Lanbadarn. Wrth gofnodi'r hanes trannoeth ym 'Mrut y Tywysogion' mynegodd un o'r mynachod ei siom iddo adael i'w filwyr halogi'r eglwys wrth iddynt ddwyn nifer o wartheg er mwyn eu bwydo eu hunain cyn ymosod ar y Normaniaid. Fodd bynnag, methiant truenus fu ymgyrch Gruffydd a chollodd lawer iawn o'i ddynion rhwng Afon Ystwyth ac Antaron.

Er hynny, nid pawb o'r Cymry oedd am wrthryfela. Yn raddol ond yn sicr fe ddenwyd rhai o benteuluoedd yr uchelwyr i dderbyn y drefn newydd naill ai trwy drefnu priodasau cymysg i'w plant, neu gymryd eu penodi eu hunain i lenwi swyddi mewn llywodraeth leol. Hynny a wnaeth Rhydderch ab Ieuan Llwyd o Barc Rhydderch ym mhlwy Llanbadarn Odwyn, a ddaliodd swydd *bedellus,* sef gwas llys yng Ngheredigion ym 1387. Un o'i ddisgynyddion ef a sefydlodd yng Ngogerddan a chychwyn yno deulu a fu'n fawr ei rym yn y fro—ac yn arbennig yng Ngenau'r-glyn am bum canrif a mwy. Pan ddeuai cyfle i daenu tipyn o fêl ar eu tafell trwy fod yn fân swyddogion y Goron, ni phoenid nemor ddim ar gydwybod llawer o'r uchelwyr Cymreig. O'r un anian, ond yn llawn mwy diddorol i ni, oedd hanes Gwilym ap Gwrwared o Gemais yn Nyfed.

Yng nghanol y 13 ganrif curwyd Maelgwn Fychan yn drwm gan Nicholas de Molis a rhoddwyd y wlad o gwmpas Llanbadarn Fawr yn ei ofal. Ei olynydd am y ddegawd rhwng 1246 a 1256 oedd Gwilym ap Gwrwared. Mab iddo ef oedd Einion Fawr a gafodd dir yn Emlyn ar ôl gwrthryfel Rhys ap Maredudd ym 1287-8 a gwnaed ef yn gwnstabl y Castell Newydd. Priododd Gwilym ei fab ef, Elen ferch Cadwgan Ddu o'r Tywyn ger Aber-porth, a ganwyd iddynt bedwar o feibion sef Einion Fychan, Llywelyn, Gruffudd, a Gwilym Gam a briododd wraig o'r enw Ardudfyl. Bernir mai anabledd ar ei gefn a barodd ei adnabod yn Gwilym Gam, a diau iddo gael ei ddifrïo droeon oherwydd ei anallu. Eithr ef, yn anad neb o'i frodyr a anfarwolwyd canys Gwilym Gam ac Ardudfyl oedd rhieni Dafydd ap Gwilym, un o brif feirdd Cymru'n ddi-ddadl, ac yn ôl rhai beirniaid yn un o feirdd mawr Ewrob.

Tyngodd ei ewythr Llywelyn lw o ffyddlondeb i'r Tywysog Du ym 1343 pan dderbyniodd swydd cwnstabl y Castellnewydd. Uchelwr diwylliedig iawn oedd ef mae'n amlwg oherwydd bu'n athro glew i Ddafydd a dystiodd i'w ddoniau fel prydydd ac ieithydd. Meddai:

Pendefig, gwledig gwlad yr hud—is dwfn,
Ys difai y'm dysgud;
Pob meistrolrwydd a wyddud,
Poened fi er pan wyd fud.

Mae'n bur debyg fod gŵr dawnus a ddaliodd y math o swyddi a wnaeth Llywelyn yn medru Saesneg a rhywfaint o Ffrangeg, a bod ei neuadd yn gyrchfan poblogaidd i wŷr diwylliedig. Ond cael ei ddisodli fel cwnstabl a wnaeth gan Norman o'r enw Richard de la Bere, a bernir mai ef, neu un o'i filwyr, a lofruddiodd ewythr y bardd. Ai'r weithred hon, tybed, a barodd i'w fab Ieuan godi arfau o blaid Owain

Glyndŵr?

Brawd Llywelyn, fel y nodwyd, oedd Gwilym Gam, tad Dafydd ap Gwilym. Ni wyddom pryd na sut y daeth Gwilym Gam i fyw i Frogynin. A oedd cangen o'r teulu wedi aros yn yr ardal o ddyddiau ei hen-hen dad-cu (Gwilym ap Gwrwared) a oedd yn swyddog y Goron ym mhlwy Llanbadarn tua chanrif ynghynt? Neu, ai priodi Ardudfyl (na wyddom am ddim o'i chefndir) a'i dygodd yma? Ond dyfalu pur yw hyn gan na ddarganfu neb hyd yn hyn gyfeiriad yn y byd ato ym mhapurau'r wladwriaeth. Fodd bynnag, derbynnir bellach mai ym Mrogynin y ganwyd Dafydd fel yr adroddwyd mewn englyn o'r 15 ganrif (o leiaf) a ddiweddarwyd fel hyn:

Am Ddafydd gelfydd goelfin—praff awdur
  Proffwydodd Taliesin
 Y genid ym Mrogynin
 Brydydd â'i gywydd fel gwin.

Hyd at saithdegau'r ganrif hon roedd tair fferm yn dwyn yr enw Brogynin. Ar lan Afon Stewi yn Nhirymynach ac ar ffin plwy Llanfihangel Genau'r-glyn (a drosglwyddwyd ym 1985 i blwyf Trefeurig) saif Brogynin-fach. Ar draws yr afon, nad yw mewn gwirionedd ond nant fechan y gall llanc ystwyth ei gymalau ei llamu'n hawdd, tua 1972 dymchwelwyd gweddillion hen furddun cerrig a adwaenid fel 'cartre Dafydd ap Gwilym', ac yn ei le codwyd byngalo modern! Yn ei ddydd roedd yma dŷ reit sylweddol a allasai gynt fod yn blasty bychan. Yn sicr, roedd yn llawer helaethach na'r gweddill o ffermdai'r fro fel y gwelir oddi wrth y darlun a dynnwyd tua 1898 gan Meurig Edwards. Yn ystod Rhyfel 1914-18, tynnwyd i lawr un hanner ohono er mwyn defnyddio'r cerrig i drwsio'r ffordd gyfagos a rychiwyd gan y wagenni a gludai goed derw o lechwedd Troed-rhiw-seiri. Y gŵr ifanc yn y llun oedd Barzilai Jones ac ef a adroddodd imi'r hanes fel y cafwyd o hyd i ddarnau pres o oes Elisabeth I o dan gornel y darn tŷ a ddymchwelwyd, ac i J. H. Davies (Prifathro Aberystwyth wedyn) eu cymryd nhw a thrawst o dderw cerfiedig i'w cadw yn amgueddfa Coleg y Brifysgol, Aberystwyth. Er chwilio'n daer ym 1950 ni chafwyd o hyd i ddim y gallesid dweud gyda sicrwydd mai o Frogynin y daethant, er bod yno ddarnau arian o'r cyfnod a chist yn cynnwys olion trawst wedi'i ddifetha gan bryfed!

Rhywdro cyn canol y ganrif ddiwethaf, pan oedd yr adeilad yn dechrau dirywio, adeiladodd ei berchen dŷ helaethach ar y llechwedd gyferbyn a'i alw'n Plas Brogynin (bellach yn Brogynin-fawr). Trowyd yr hen dŷ yn gartre i ddau neu dri o deuluoedd am rai blynyddoedd. Y pryd hwnnw y lluniwyd Brogynin (Ganol) lle y treuliodd Barzilai Jones y rhan helaethaf o'i oes. Yn wreiddiol, yn ôl a ddeallais, ar y safle hwn roedd tai allan Brogynin, yn ogystal â bwthyn neu ddau i'r gweision, a phan godwyd Brogynin-fawr neilltuwyd rhai o'r caeau er mwyn creu'r tyddyn newydd Brogynin (Ganol). Y mae'n ddiddorol cofio mai perthyn i'r tyddyn newydd yr oedd y triongl o lecyn lle safai 'cartre Dafydd'. Daeth T. Gwynn Jones yma i ymweld â'r hen furddun ym mis Rhagfyr 1910, a chan dristed yr olygfa aeafol canodd ei gywydd enwog i'r 'Nyth Gwag':

O rhoes Dafydd gywydd gwin
Ogoniant it, Fro Gynin
Ar wastad oer, dristed wyt,
Mor ddi-nod, murddun ydwyt.

Yn gynnar yn haf 1924 deuthum i Frogynin-fawr yn hogyn ysgol i atgyfnerthu wedi salwch hir, ac yno ar aelwyd fy mam-gu, ac ewythr a modryb imi (Henry ac Elizabeth James) mi ddechreuais gymryd fy hudo gan straeon o hanes a llên gwerin yr ardal. Droeon bryd hynny hefyd y profais gwmni difyr rhai o'r cymdogion ar y groesffordd islaw—Edward Hughes, Brogynin-fach, Barzilai Jones, Brogynin-ganol, John David Rees (Coedgruffydd, gynt) a'r bardd gwlad bachog ei sylwadau, Albert Williams, Salem. Nid hel clecs neu wowcs na photes eildwym (chwedl fy mam-gu) a fyddent gan amlaf ond gwrando ar yr hen fugail Edward Hughes a eisteddai yn ei gwrwm ym mol y clawdd yn dirwyn hanes oes a ddarfu gyda sicrwydd gŵr a adnabu bob clogwyn a chors, a phob tyddyn a lluest o lawr gwlad i gopa Pumlumon. Rhyngddynt bawb mi gefais hadau a roes imi gynhaeaf ffrwythlon iawn wedi imi ddechrau ymhyfrydu ym marddoniaeth Dafydd ap Gwilym, y gŵr mwyaf o ddigon a anwyd yn y plwy hwn. Ef yn anad neb a ddatblygodd, onid yn wir a ddyfeisiodd, fesur y cywydd a'r gynghanedd gaeth. Yn wir, fe fu ei athrylith yn ddigon i roi cyfeiriad newydd i lenyddiaeth Gymraeg ac yn gyfrwng i achub yr iaith.

Edward Hughes, fy mam-gu a'u cenhedlaeth, a ddysgodd imi'r traddodiad mai'r boncen a dorrai ar lyfnder talcen llechwedd Tir-y-mynach—yn union uwchlaw Brogynin-fach—oedd 'cadair' Dafydd ap Gwilym. Dringwch yno ac fe gewch fwynhau holl ogoniant y dyffryn o Gwm-y-glo i Gwmbwa ac i lawr dros y Penrhyn a Gogerddan i Glarach.

Y mae digon o dystiolaeth yng nghywyddau Dafydd mai un o blwyfolion Llanbadarn Fawr oedd ef. Bardd serch a natur oedd yn anad dim, ond er cymaint ei ymffrost yn ei gampau carwrol, eto i gyd, ar ei dystiolaeth bersonol, digon wfftlyd ohono oedd merched ei blwy ei hun!

Plygu rhag llid yr ydwyf,
Pla ar holl ferched y plwyf!
Am na chefais, drais drawsoed,
Onaddun' yr un erioed,
Na morwyn fwyn ofynaig,
Na merch fach, na gwrach, na gwraig . . .

Ni bu Sul yn Llanbadarn
Na bewn, ac eraill a'i barn,
Â'm wyneb at y ferch goeth
A'm gwegil at Dduw gwiwgoeth.
A gwedy'r hir edrychwyf
Dros fy mhlu ar draws fy mhlwyf,
Y dywaid un fun fygrgroyw
Wrth y llall hylwyddgall hoyw:
'Y mab llwyd wyneb mursen
A gwallt ei chwaer ar ei ben,
Godinabus fydd golwg
Gŵyr ei ddrem; da y gŵyr ddrwg'.

[GDG, 48]

Dro arall, wrth ddychwelyd o'r gogledd, canodd Dafydd gywydd godidog ei ddisgrifiadau i'r 'Don ar Afon Dyfi' [GDG, 71] a oedd mor chwyrn ei llif fel y rhwystrai iddo groesi 'draw [i] Lanbadarn at ferch a'm gwnaeth . . . o farw'n fyw', sy o leia'n awgrymu mai yn Llanbadarn roedd ei galon!

Tybed, fodd bynnag, na allwn fynd gam ymhellach? Yn ei gywydd 'Serch fel Ysgyfarnog' [GDG, 46], cwyna'r bardd na chaiff gysgu'r noson honno hyd oni chyrraedd 'Gwlad Wgon . . . Gleddyfrudd', lle mae ei gartref. Yn ôl J. E. Lloyd (*History of Wales,* 257) brenin olaf Ceredigion oedd Gwgon ap Meurig neu Gwgon Gleddyfrudd a foddodd tua'r flwyddyn 871. Digon rhesymol yw derbyn mai Ceredigion oedd 'Gwlad Wgon', ac mai Llanbadarn oedd plwy Dafydd. Y cwestiwn diddorol sy'n ei gynnig ei hun wedyn yw: Ai tad Wgon a roes ei enw i Drefeurig sef y drefgordd lle safai Brogynin?

Ond dychwelwn i ystyried yr hen furddun am ychydig. Mwy, nid erys ond carn o gerrig—gweddillion y 'gweddill' a ddymchwelwyd cyn codi'r byngalo a saif gerllaw. Yn ei gywydd 'Merch yn Ymbincio' [GDG, 49] sonia Dafydd yn ddifyr am ffasiwn merched y dydd nad yw'n wahanol i heddiw:

Rhai o ferched y gwledydd,
Sef gwnân' ar ffair, ddiddan ddydd,
Rhoi perls a rhubi purloyw
Ar eu tâl yn euraid hoyw,
A gwisgo rhudd, mwyfudd merch,
A gwyrdd; gwae ni fedd gordderch!
Ni welir braich, goflfaich gael,
Na mwnwgl un dyn meinael,
Heb yn ei gylch, taerwylch tes,
Baderau, bywyd eres . . .

Yna, â'r bardd ymlaen yn bryfoclyd i ofyn pa faint gwaeth yw'r mur gwyngalch na phe telid punt i beintiwr am beintio arno darianau amryliw? [megis y gwnaed yn neuaddau'r uchelwyr].

Pan ddarllenais y llinellau hyn gyntaf, 'nôl ym 1935, mi gofiais imi unwaith gicio pêl trwy do'r murddun a chael iddi daro pared yn un o'r stafelloedd llawr gan ryddhau paten o'r gwyngalch a dadlennu patrwm blodeuog oddi tano. Trefnwyd i Iorwerth Peate, a oedd wrthi'n dechrau casglu cnewyllyn Amgueddfa Werin Cymru, i ddod i'r olwg, a gyda chymorth proffesiynol fe symudwyd darn o'r plastr i'w ddiogelu yn yr Amgueddfa. Roedd iddo ddiddordeb arbennig am nad oes hanes am ddim tebyg wedi'i ddarganfod mewn tŷ na phlas yn y rhan hon o Geredigion. Y peth agosaf ato oedd y paentiadau crefyddol, Catholig eu naws, a ddatgelwyd o dan haenau o galch ond a chwalwyd pan adnewyddwyd eglwys Llanbadarn Fawr ym 1868. Mae'n wir mai paentiadau digon amrwd a chyffredin a gaed ym Mrogynin, ond roedd y ffaith eu bod yno o gwbl yn gosod arbenigrwydd ar y tŷ.

Ym 1951 ceisiodd yr adeiladydd John Edmund Jones, y Dole, y cyn-lysgennad T. Ifor Rees, a minnau gychwyn trafodaethau i brynu'r murddun er mwyn ei ddiogelu'n gofeb, ond gwrthododd y perchennog bryd hynny ystyried ein cais. Er mwyn hybu'r diddordeb cyhoeddus mewn adeilad a oedd bellach yn dwlc i dorraid o foch bach, gofynnwyd i'r Comisiwn Henebion wneud arolwg o'r murddun, a chaed adroddiad gan D. B. Hague. Tystiodd ef fod y plastr yn dwyn nodweddion o'r 16 ganrif neu'r 17 ganrif, ond nad oedd y darnau helaethaf o'r muriau'n hŷn na'r 17 ganrif neu ddechrau'r 18 ganrif. Tybed felly, gofynnodd, ai efelychu paentiad o dŷ cynharach a wnaed? Sut bynnag, ni fu'r arolwg o ddim help i sicrhau rhestru'r adeilad, ond ni all dyn lai na gofyn: os efelychiad oedd y paentiad onid oedd yn arwyddocâd o draddodiad hŷn a gaed mewn plasty cynharach?—a hwnnw'n mynd yn ôl i ddyddiau Dafydd ap Gwilym? Roedd cof y brodorion dros y canrifoedd yn hawlio'n ddi-ildio mai yma yr oedd cartre'r bardd. Cofier hefyd un briwsionyn o dystiolaeth ymylol, sef, pan godwyd y tŷ sylweddol ar y llechwedd uwchlaw'r ffordd, yr enw a roddwyd arno oedd Plas Brogynin—fel petai wedi'i drosglwyddo o'r hen gartre. Ni ddyrchafwyd yr un fferm arall i fod yn ogyfuwch â Gogerddan drwy'r holl fro. Pam?

Addefa Dafydd mai bardd aml ei gariadon oedd ef, ond os gallwn ei gredu, camp na ddaeth i ben â hi oedd ennill yn wraig iddo yr un o'r pedair a osododd ar ei restr fer, sef Morfudd 'farworyn rhudd'; Dyddgu 'â'r ael liwddu leddf'; Elen 'gwraig ryw benaig Robin Nordd'; ac un ferch ddienw o Wynedd y dywed amdani:

Hoyw ei llun, a holl Wynedd
A'i mawl; gwyn ei fyd a'i medd.

Dangosais dros hanner canrif yn ôl bellach nad gwraig ramantus ddychmygol oedd Elen, oherwydd roedd yna Robert le Northern ('Robin Nordd' y bardd) yn fwrgais cefnog yn Aberystwyth ym 1344, a theg yw tybio mai ei wraig ef oedd Elen 'hoff o olud', ond na chymerai gerdd yn rhad gan y mynnai roddi llwyth o sanau i'r bardd—a mwy na bodlon oedd ef os rhoddai iddo lwyth wedi eu gwau o wawn [*gossamer*].

Merch fonheddig allan o'i gyrraedd oedd Dyddgu:

Rhy uchel, medd rhai uchod,
Y dringais pan gludais glod . . .
Ergyd damwain, fun feinael,
Em deg ŵyl, ymy [= imi] dy gael.

[GDG, 37]

Merch fonheddig 'gywair o ddawn, gywir, ddoeth . . . yn gyflawn o'r dawn a'r dysg'—un felly oedd Dyddgu, a hi oedd dewis cyntaf Dafydd pe'i câi. Haerllugrwydd ar ei ran oedd ei cheisio, meddai, ac eto cymaint yw ei serch nes cyfaddef:

Mi a'th gaf, addwyn wyneb,
Fy nyn, pryd na'th fynno neb.

[GDG, 37]

Credir mai merch i ryw Ieuan ap Gruffudd ap Llywelyn oedd Dyddgu, ac er i Ddafydd (yn ôl ffasiwn y cywyddwyr) yrru carw'n negesydd ati i Dywyn, ger y Ferwig yng ngodre'r sir, eto i gyd 'i ddôl Manafan' y gwahoddodd y bardd hi i'w gyfarfod. Ac fel y dangosodd R. J. Thomas, ar lan Afon Rheidol—rhwng Llanbadarn a Glasgrug, lle heddiw y saif stad ddiwydiannol Glanrafon—yr oedd 'dôl Manafan'. Gallasai fod wedi'i magu yn y naill le, a mynd i fyw i'r llall ar ôl priodi.

Eto, er cymaint ei ddyheu am Ddyddgu, Morfudd benfelen, fodrwyfraich a roes iddo groeso breichiau agored, ac yn dâl am hynny fe'i hanfarwolwyd gan Ddafydd mewn tua deg ar hugain o gywyddau gwych sy'n dal hyd heddiw, wedi chwe chanrif, yn rhuddin byw ein llenyddiaeth.

Merch i Fadog Llwyd a adwaenid hefyd fel Madog Lawgam oedd Morfudd, gŵr na wyddom hyd yn hyn ddim amdano, ond y tebyg yw mai un o fân sgwieriaid gogledd Ceredigion oedd. Tybed ai ef a adawodd ei enw'n frith ar draws Parsel Canol (neu'r Dyffryn Main) megis Gallt Fadog (lle cartrefai Lewis Morris yn y 18ganrif), Gelli Fadog, Bryn Madog, Cefn-llwyd, a Bryn-llwyd (Bronfloyd i'r Saeson a fu'n gweithio yma). Rhaid cofio, fodd bynnag, fod Llwyd yn gyfenw digon cyffredin yn y cyfnod hwn, a bod un oedd yn dwyn yr enw, Ieuan Llwyd ap Ieuan Fwyaf o deulu Morfa Bychan (ochr isaf i Dan-y-bwlch) yn dal swydd *prepositus* (maer) yng Nghwmwd Perfedd ym 1351-2.

Merch brydferth odiaeth oedd Morfudd y rhoddodd Duw iddi 'ddwybleth aur i hudo deublwyf'. Y drwg yng nghaws Dafydd, er hynny, oedd bod Morfudd eisoes yn briod â gŵr a eilw'r bardd 'y Bwa Bach'—a gŵr a oedd, yn ddigon naturiol, yn ddig iawn wrth Dafydd am ei fod yn talu llawer gormod o sylw i'w wraig. Barnwyd gynt mai dychymyg Dafydd ap Gwilym a greodd Morfudd a'i gŵr y 'Bwa Bach', ond bellach gwyddom yn amgenach.

Yn ôl ym 1935 pan oeddwn wrthi'n paratoi traethawd i'r Athro T. Gwynn Jones ar gysylltiadau lleol Dafydd ap Gwilym, fe gynigiodd fy Athro Hanes Cymru (Dr E. A. Lewis), gyda'r rhadlonrwydd hwnnw a oedd mor nodweddiadol ohono, fy mod yn treulio rhai dyddiau yn chwilio ei gasgliad enfawr o gopïau, a wnaeth dros y blynyddoedd, o bapurau'r wladwriaeth sy'n cofnodi pob rhyw fanylion ynglŷn â llywodraeth leol, cyfraith a threfn, a.y.b. Bûm wrthi am ddyddiau lawer ac ni chefais ond un ddogfen at fy nant—ond rhyfeddod pob rhyfeddod, profodd hon yn fwy chwyldroadol na dim a freuddwydiais i na neb arall.

Cynnwys y ddogfen oedd dyfarniad gan yr Ustus Gilbert Talbot ym mrawdlys Aberteifi ar 11 Gorffennaf 1344 mewn achos o ladrad. Cyhuddwyd Howel ap Gronow ap Meilyr iddo ddwyn cwpan arian gwerth wyth swllt oddi ar Robert le Northern, bwrdais o Aberystwyth, ar y Llungwyn 1342. Addefodd Howel iddo gyflawni'r drosedd, a chytunwyd i'w gais i dalu iawn yn ôl y gyfraith Gymreig. Gosodwyd arno ddirwy o £40 i'w thalu'n chwe chyfran o fewn tair blynedd. Mae'n amlwg nad oedd gan y barnwr yr un rhithyn o gydymdeimlad â'r Cymro oherwydd mynnodd gael enwau 24 o wŷr sylweddol yn feichiafon er mwyn sicrhau'r swm dyladwy. Ymhlith y gwŷr a gytunodd sicrhau'r taliadau'n gyson enwir Gronow ap Meilyr [tad Howel], Ieuan Lloyd ap Ieuan Fwyaf [aelod o deulu Morfa Bychan a symudodd rywdro i fyw i Enau'r-glyn], Robert de Skydemore Ieuan ap David Goch . . . Howel ap Gwilym Seys Ebowa baghan Trayhayan ap Meredith . . .

Gellir derbyn, felly, fod gŵr a lysenwyd 'y Bwa Bychan' (*Ebowa baghan*) yn byw yn y parthau hyn ym 1344. Gan na ddefnyddiwyd atalnodau mewn dogfennau cynnar i ddidoli rhestr o enwau fel yr uchod, fe all mai enw priodol y Bwa Bach oedd Howel ap Gwilym Seys, ond pur annhebyg yw hynny oherwydd nid arfer cwbl anghyffredin yw cael llysenwau mewn dogfennau cyfreithiol gan ei bod yn arfer gan y cyfreithwyr Seisnig gofnodi'r enw mwyaf cyffredin yr adwaenid dyn wrtho. Awgrymodd Syr Thomas Parry mai dyn byr a chanddo gefn crwca oedd 'y Bwa Bach', a derbyniodd Dr Rachel Bromwich y farn hon gan ei alw 'the little hunchback'. Ond tybed na chyfeiliornodd y ddau?

Darganfu'r Athro Ralph Griffiths (*The Principality of Wales in the later Middle Ages,* t.453) fod 'y Bwa Bach' wedi gweithredu fel dirprwy faer Cwmwd Perfedd ym 1339/40, a thynnodd Syr Thomas Parry sylw at gofnod yng nghyfrifon y Trysorlys (P.R.O.Min.Accts 1158/8) fod gŵr o'r enw Maredudd ab y Bwa Bach wedi llanw swydd *bedellus,* sef gwas llys a chasglwr trethi yng Ngenau'r-glyn ym 1357/8. Dyna ddigon o dystiolaeth mai gŵr o gig a gwaed oedd 'y Bwa Bach' a adwaenid yn swyddogol wrth ei lysenw.

Mae'n amlwg ei fod yn ŵr sylweddol yn ei gymdeithas, onidê ni chawsai ei ddewis i'r swyddi hyn, a go brin y byddai swyddogion y Goron yn derbyn y llysenw os oedd yn adlewyrchu nam corfforol a fyddai'n denu gwawd ei gyd-fforddolion. Yn hytrach, rwyf am awgrymu iddo gael ei alw 'y Bwa Bach' am y rheswm syml mai ef oedd y gŵr a gynhyrchai fwâu'n swyddogol yn yr ardaloedd hyn. Cofier mai yng Nghymru y gwnaed y bwâu hir gwreiddiol ac mai cymryd atynt wnaeth y Saeson ar ôl profi eu gwerth mewn brwydrau. Roedd hefyd fwa bach a oedd yn llawer mwy hylaw at hela mewn coedwigoedd. O goed yw y gwnaed y bwâu gorau, ac er bod cefnogaeth barod iawn i bwy bynnag a ddymunai blannu coed yw, eto i gyd, roedd gwneud a gwerthu bwâu o dan oruchwyliaeth gaeth iawn. Nid pawb a gâi drwydded i'w cynhyrchu rhag ofn iddynt godi byddinoedd preifat a allai beryglu'r Goron. Pa dystiolaeth sy o blaid y ddamcaniaeth hon?

'Cae Ywen' oedd yr enw llafar ar y cae a orwedd rhwng ffermdy Cwmbwa a Phenyberth. Yn fy llencyndod mi glywais aml hynafgwr yn tystio ei fod yn cofio coeden ywen yn tyfu ym môn un o gloddiau'r cae hwn, ac ar gorn hynny tybient fod yno unwaith fynwent. Fodd bynnag, ym 1866 cyhoeddodd J. Graham Williams, asiant ystad Gogerddan, lyfryn yn dwyn y teitl *A short history of the British encampments* (t.7) sef caerau'r Darren, Broncastellan, Blaencastell, a.y.b., ac ynddo dywed fod yr ywen olaf yn dal ar ei thraed bryd hynny, ac mai at wneud bwâu gynt y tyfwyd yw mor llwyddiannus ar dir Cwmbwa. Hynny, mae'n siŵr felly, a roddodd ei enw i'r fferm.

Thema boblogaidd iawn gan feirdd Ewrop yn y Canol Oesoedd oedd i fardd ganu cerddi serch i wraig briod tra'n dal ar bob cyfle i wneud ei gŵr yn gyff gwawd. Morfudd oedd dewis-wraig Dafydd, a'r Bwa Bach oedd targed ei ddirmyg brathog. Tybed nad ffug oedd y gwawd a'r dirmyg i gyd, er mwyn i'r bardd ei chael hi'n haws i glodfori prydferthwch a rhinweddau dirfawr Morfudd. Wrth iddo wneud hynny'n raenus, a thynnu coes y Bwa Bach, onid oedd hefyd yn porthi balchder ei gŵr? Wedi'r cyfan roedd Dafydd ac yntau'n gymdogion agos—nid oes ond ychydig gyda milltir rhwng Brogynin a Chwmbwa—y Bwa Bach yn un o fân uchelwyr y fro, a Dafydd yn hanu o'r un dosbarth.

I Ddafydd, ei 'farworyn rhudd' oedd Morfudd ac ymorchestai'r bardd wrth ganu i'w gwallt [GDG, 73] â'i ddawn artistig fawr, a'i feistrolaeth ar fynegiant:

> Dodes Duw, da o dyst wyf,
> Dwybleth i hudo deublwyf,[1]
> O radau serch, aur ydyn,
> Aerwyau teg, ar iad dyn . . .

Balch y dwg, ferch ddiwg fain,
Banadl ysgub, bun dlosgain,
Yn grwn walc,[2] yn goron wiw
Wyldlos, blethedig oldliw,
Yn gwnsallt,[3] fanwallt fynwaur,
Yn gangog, frigerog aur.
Eirian rodd, arwain ruddaur
Ar ei phen o raffau aur
I hudo beirdd penceirddryw;
Oedd hyfryd i'r byd ei byw.

[1]'Llanbadarn Fawr a Genau'r-glyn? [2]gwallt; [3]mantell.

Un o'r cywyddau mwyaf diddorol a gyfansoddodd Dafydd oedd 'Taith i Garu' [GDG, 83] sy'n cynnwys nifer da o enwau lleoedd yr ymwelodd â nhw. Yn agos i drigain mlynedd yn ôl bu'r diweddar R. J. Thomas (golygydd cyntaf *Geiriadur Prifysgol Cymru*) a minnau ar drywydd yr enwau hyn; a daeth un ffaith awgrymog iawn i'r golwg, sef bod y mwyafrif ohonynt yn y darn gwlad sy'n gorwedd rhwng Brogynin a Thal-y-bont, fel y gwelir oddi wrth y map (tud. 32). Darfu'r olion am lawer o'r lleoedd hyn a newidiwyd peth ar ffurfiau eraill gyda threigl amser.

Dyma ddetholiad o'r cywydd er mwyn hwylustod, ac yn y gobaith y daw goleuni pellach ar yr enwau lleoedd na fedrwyd eu lleoli hyd yn hyn:

A gerddodd neb er gordderch
A gerddais i, gorddwy serch? . . .

Ni chefais eithr nych ofwy,
Ni chafas deudroed hoed hwy
Ermoed i *Gellïau'r Meirch,*
Eurdrais elw, ar draws *Eleirch,*
Yn anial dir yn uniawn
Nos a dydd, ac nid nes dawn.
O Dduw, ys uchel o ddyn
Ei floedd yng *Nghelli Fleddyn . . .*

Bysaleg, iselgreg sôn,
Berwgau lif, bergul afon,
Mynych iawn, er ei mwyn hi,
Y treiddiwn beunydd trwyddi.
I *Fwlch* yr awn, yn falch rydd,
Mau boen dwfn, *Meibion Dafydd.*
Ac ymaith draw i'r *Gamallt . . .*

Ebrwydd y cyrchwn o'r blaen
Gafaelfwlch y Gyfylfaen,
I fwrw am forwyn wisgra
Dremyn ar y dyffryn da . . .

Ystig fûm ac anaraf,
Ar hyd *Pant Cwcwll* yr haf,
Ac ogylch *Castell Gwgawn,*
Gogwydd cyw gŵydd lle câi gawn.
Rhedais heb *Adail Heilin,*
Rhediad bloesg fytheiad blin . . .

Sefais goris llys Ifor
Fal mynach mewn cilfach côr,
I geisio, heb addo budd,
Gyfarfod â gwiw Forfudd.
Nid oes dwyn na dwys dyno
Yn neutu glyn *Nant-y-glo*
Nas medrwyf . . .

Hawdd ym wrth leisio i'm dwrn,
Gwir nod helw, *Gwern-y-Talwrn.*

Eleirch: y mae'n ddiamau mai dyma'r ffurf wreiddiol ar Elerch, y pentre a saif ychydig dros filltir o Frogynin.
Gellïau'r Meirch: awgryma'r Athro Geraint Gruffydd mai Tyddyn-y-gelli, sef Ty'n-gelli heddiw, yw'r lle a geir yn y cywydd. Mae'n wir bod sôn yn un o ddogfennau Gogerddan, dyddiedig 10 Ionawr 1591/2, am 'Tythyn Kellie'r meirche' yn nhrefgordd Trefeurig, ond nid yw lleoliad Ty'n-gelli yn cytuno â disgrifiad Dafydd sy'n ei osod 'ar draws Eleirch'. Yn bersonol mi hoffwn i weld ffurf gynharach ar Tyddyn Llety'r-march-melyn a safai hyd ganol y 19 ganrif tua milltir o Elerch ar lan llyn Mynydd-gorddu gan ei fod felly 'ar draws Elerch'.
Gelli Fleddyn: yng nghyfrifon y Goron (*P.R.O.Ministers Accounts,* 1158) sonnir am dir 'meibion Blethin' yng nghwmwd Genau'r-glyn—ond lle'n union yno ni wyddom.
Bwlch Meibion Dafydd: mae'n debyg gen i mai cenhedlaeth Edward Hughes, Brogynin-fach, a fy mam-gu (Mary James; bu farw ym 1928 yn 76 oed) oedd yr olaf i gyfeirio mewn sgwrs at Ben Bwlch Meibion Dafydd fel copa'r rhiw serth sy'n arwain o Droed-rhiw-seiri i groesffordd Elerch/Llety-Ifan-hen.
Y Gamallt: ni wn ddim amdano.
Gafaelfwlch y Gyfylfaen: awgrymodd R. J. Thomas mai'r un lle yw â

Bwlch y Maen, sef man cyfarfod nifer o lwybrau sy'n cysylltu mân gymoedd â'i gilydd, a hwyrach mai dyma rym y Gafael yn y ffurf gyfansawdd Gafaelfwlch.

Pont (neu Pant) Cwcwll, Castell Gwgawn: yn y *Calendar of Charter Rolls, IV, 1327-41*, t.385, cofnodir rhodd o diroedd ym 1336 gan Faelgwn Ieuanc i Fynachlog Ystrad-fflur, yn cynnwys Talpont Cuculh, Castelh Gugaun, a Castelhan. Y mae'r olaf yn ffinio â Gogerddan ac o fewn Tirymynach. Saif Carreg-y-dwgan (neu Carreg Cadwgan ar y map degwm) dros y ffin o Dirymynach yng Nghwm Ceulan. Tybed felly nad rhywle o fewn y diriogaeth yma yr oedd Pont Cwcwll? Fel yr awgryma Syr Thomas Parry [GDG, xxxv*] fe all Pant Cwcwll a Phont Cwcwll fod yn enwau ar leoedd cyfagos. Ar fap yr Athro William Rees, Talpont yw'r enw a geir ar y pentre sydd ar y briffordd (A487) rhwng Aberystwyth a Machynlleth. Tybed felly nad Cwm Eleri oedd Pant Cwcwll, y bardd?

Nant-y-glo: awgrymaf mai hwn yw'r cwm bychan sy'n rhedeg o Gwm-y-glo heibio i Droed-rhiw-seiri o fewn milltir i gartre Dafydd ym Mrogynin. Awgryma Syr Thomas Parry mai'r un lle yw'r Cwm-y-gro a enwir mewn cywydd arall, 'Galw ar Ddwynwen' [GDG, 94], lle mae Dafydd yn gyrru Dwynwen o Landdwyn â neges at ei gariad i Gwm-y-gro. Yn ddiddorol ddigon, yng Nghasgliad Gogerddan ceir dogfen, wedi'i dyddio 24 Chwefror 1541/2, sy'n cyfeirio at y tiroedd canlynol ym mhlwy Llanbadarn Fawr: tyddyn cw[m] y gro, tir y gelly, y llether hene, pant yr ebolyon a nant y seyry.

Gwern-y-talwrn: y mae lle o'r enw Pen-y-talwrn ger Ponterwyd ond 'gan mor gyffredin yw'r enw "talwrn" mewn enwau lleoedd, ni ddylid efallai roi gormod pwys ar hyn', medd Syr Thomas Parry [GDG, xxxvi*]. Y mae Ponterwyd hefyd ymhell o'r diriogaeth sy'n gyffredin i fwyafrif yr enwau uchod.

Ar gychwyn ei daith garu, sonia Dafydd fel yr oedd yn rhaid iddo gerdded drwy *Bysaleg*—afon sy'n ferw ei ffrwd a chul iawn:

> Bysaleg, iselgreg sôn,
> Berwgau lif, bergul afon,
> Mynych iawn, er ei mwyn hi,
> Y treiddiwn beunydd trwyddi . . .

---

*Gweler argraffiad cyntaf GDG (1952).

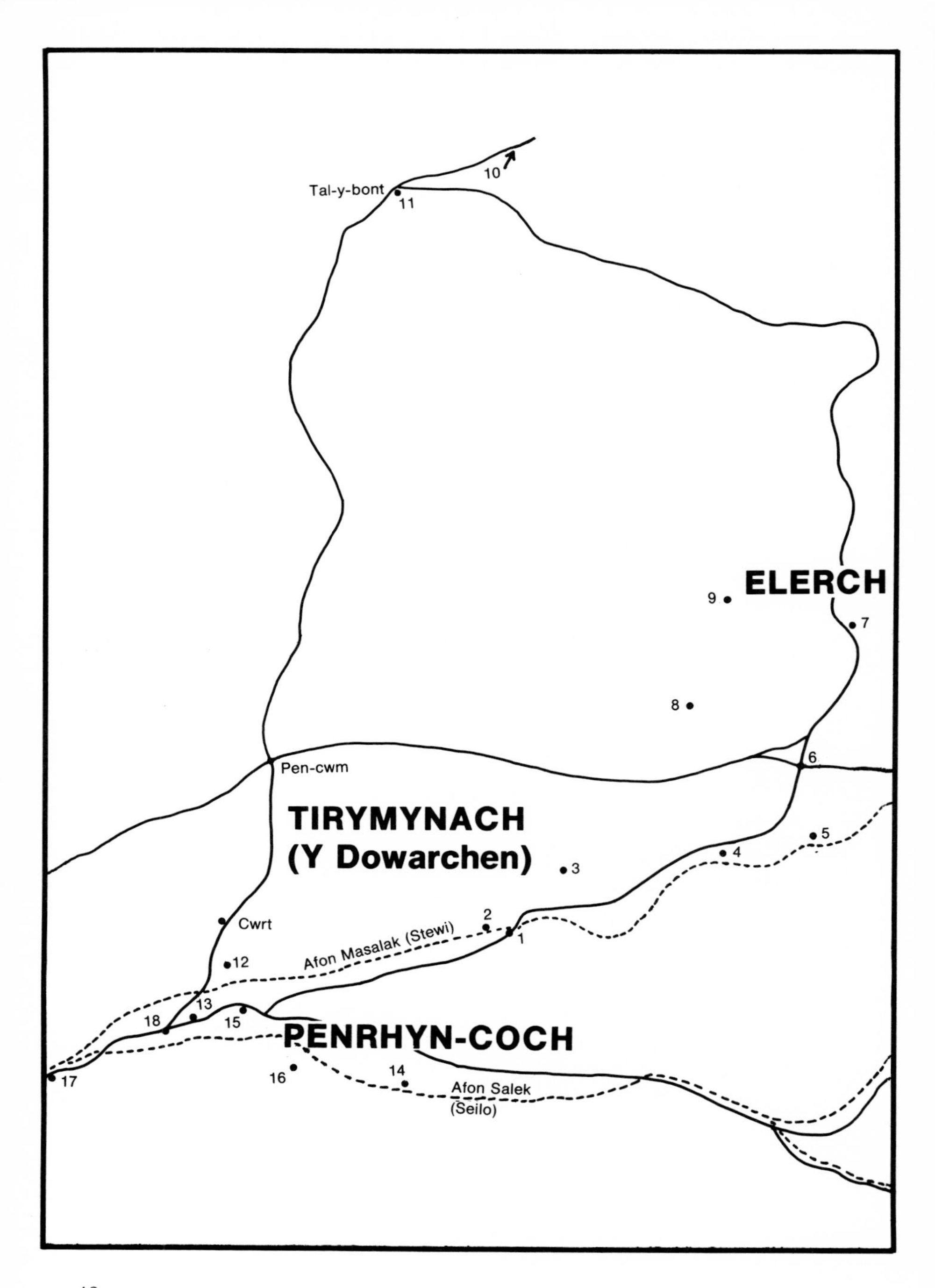
10
Tal-y-bont
11
ELERCH
9
7
8
6
Pen-cwm
TIRYMYNACH
(Y Dowarchen)
5
4
3
2
Cwrt
Afon Masalak (Stewi)
1
12
13
18
15
PENRHYN-COCH
17
16
14
Afon Salek
(Seilo)

‘Taith i garu’, Dafydd ap Gwilym

Enwau lleoedd ym mro Dafydd ap Gwilym

1 Brogynin: murddun ‘Tŷ Dafydd’.
2 Afon Bysaleg [Masalak] (GDG 83, 15).
3 ‘Cadair’ Dafydd ap Gwilym.
4 Nant-y-Seri: Cwm Seiri (GDG 98, 2).
5 Cwm-y-gro: Cwm-y-glo (GDG 94, 32).
6 Pen-bwlch Meibion Dafydd (GDG 83, 19-20).
7 Elerch: Eleirch (GDG 83, 8).
8 Gelliau'r Meirch: Llety'r-march-melyn [?] (GDG 83, 7).
9 Ffynnon-wared (gwel. GDG xxv-xxvi).
10 Carreg-y-dwgan: Carreg Cadwgan: Castell Gwgawn (GDG 46, 67n).
11 Pant Cwcwll: Talpont Cwcwll: Tal-y-bont (GDG 83, 30).
12 Melin-y-Prior (GDG t. 420, n).
13 Llannerch y Penrhyn: Penrhyn-coch (GDG 42, 51-2).
14 Afon Salek: Afon Seilo.
15 Dôl-maes-Saleg: Dôl-maes-Seilo.
16 Cwmbwa: cartre'r Bwa Bach (GDG 117, 44; 131, 40).
17 Gogerddan.
18 Tyddyn Ieuan ap Rhydderch (?).

Pan ymwelodd T. Gwynn Jones â Brogynin ym 1910 cyfarfu â hen wraig a oedd dros ei 80 oed a ddywedodd wrtho mai Salem oedd enw'r ffrwd fechan a redai heibio'r murddun ond mai 'Saleg' y gelwid hi gynt, a phan oedd hi'n blentyn roedd 'gerllaw'r pentref [Penrhyn-coch] ddôl a elwid Dôl Maes Saleg'.

Mae'r modd y trafodwyd enwau'r ddwy afon a red drwy ddyffryn y Penrhyn, sef y Stewi a'r Seilo presennol, yn enghraifft dda o'r drafferth a gaiff rhywun ar brydiau wrth geisio olrhain hanes ac esbonio ystyron enwau lleoedd heb ddogfennau digonol.

Ar y mapiau cynharaf o Geredigion a gyhoeddwyd, yr enw a geir ar Afon Stewi yw Mas(s)alak [Masaleg]. Hynny a welir ar fapiau William Saxton 1578, John Speed 1610, Robert Morden (De Cymru) 1722, a Thomas Kitchen 1754. Ni nodir 'Afon Seilo' arnynt bob amser ond pan wneir fe'i gelwir yn Salek (Saleg). Fel y gwelsom, am Afon Bysaleg y soniai Dafydd ap Gwilym, ac fel y dywedodd Syr Thomas Parry [GDG, xxxvii] y mae Bysaleg yn amrywiad hollol gyfreithlon ar Masaleg (Maes + Saleg). Fodd bynnag, pan gyhoeddodd John Singer ei fap ym 1803 nid enwodd y ddwy afon ond galwodd ddyffryn Masaleg yn Casdewi (Cas = castell + Dewi). O ble y daeth yr enw ni wn, onid dylanwad eglwysig a fu ar waith. Ym 1920 tystiodd y wraig y cyfarfu T. Gwynn Jones â hi mai Saleg oedd enw'r hen frodorion ar yr afon, ond erbyn hynny aeth yn Sale*m* o dan ddylanwad enw'r capel a'r pentre Salem Coedgruffydd a godwyd ar y llechwedd uwchlaw, a Sale*m* hefyd yw'r afon ar fap Bartholomew, 1914. Fodd bynnag, bwriwyd heibio'r enwau gwreiddiol ac aeth Masaleg yn Stewi (St. Dewi), a Saleg ar draws y dyffryn yn Seilo.

Mewn cywydd i Faredudd ap Llywelyn o Enau'r-glyn, galwodd Tudur Penllyn ei gartre yn 'seler dyffryn Mysaleg', sy'n profi fod yr enw'n wybyddus yn oes y Tuduriaid. Y mae Dôl-maes-Seilo yn y Penrhyn yn sicr yn safle hynafol gan fod y tŷ presennol tua 200 mlwydd oed. Os gosodir enw gwreiddiol yr afon yn lle'r un a geir yma, ceir Dôl-maes-Saleg sy'n ategu'r hyn a ddywedodd yr hen wraig wrth T. Gwynn Jones.

Bwriad yr holl gerdded a wnaeth Dafydd, debygwn i, oedd cael cyfarfod â Morfudd gerllaw llys rhyw Ifor:

> Sefais goris llys Ifor
> Fal mynach mewn cilfach côr,
> I geisio, heb addo budd,
> Gyfarfod â gwiw Forfudd.

Un o noddwyr Dafydd oedd yr uchelwr a eilw yn Ifor Hael oherwydd amlder ei roddion a helaethrwydd y croeso a gafodd y bardd i'w lys. Tybiodd rhai beirniaid mai ef yw'r Ifor y cyfeirir ato uchod, ond ni all hynny fod yn gywir oherwydd gwyddom mai Ifor ap Llywelyn o Wern y Clepa ger pentre Basaleg yng Ngwent oedd hwnnw. O'r gair Lladin *basilica* (eglwys) y tarddodd Basaleg. Am Masaleg, cyfuniad yw o Ma—(dôl, tir gwastad) a Saleg (enw'r afon).

Yn ei gywydd 'Dewis Un o Bedair' [GDG, 98] mae Dafydd yn galw Morfudd yn 'seren cylch Nant-y-seri'. Ni wn am unlle lleol â'r union enw yma ond mae'n bur sicr mai'r un lle gydag amrywiad bach yw Nant-y-seiri [gw. uchod *Nant-y-glo* lle sonnir am nant-y-seyry ym 1541/2]. Mae fferm Troed-rhiw-seiri heddiw yn ffinio â Chwm-y-glo.

Damcanwyd llawer ynglŷn â chanu serch Dafydd i Forfudd, nad oedd, hyd y gwelaf i, ond ffurf gwrtais o fynegi clod a pharch i'r ferch fonheddig harddaf a adnabu, a allai fod yn ddatblygiad difyr ac ysgafn gan un o feirdd y glêr ar y canu mawl traddodiadol i uchelwyr yn eu llysoedd.

Canodd Deio ab Ieuan Du (tua 1460-80) hefyd awdl i Faredudd ap Llywelyn o Enau'r-glyn, a oedd yn byw, meddai, 'yng nglan Mysaleg' ac mor rhydd ei anrhegion i gerddorion ag Ifor Hael. Pwynt bach, cwbl ddibwys efallai, yw bod Dôl-maes-Seilo [Saleg] yn sefyll ar lawr y dyffryn goris Cwmbwa lle cartrefai y Bwa Bach a Morfudd.

Boed a fo am hynny, cynnwys ei gywyddau hefyd wythïen gyfoethog arall, sef ei ddisgrifiadau naturiol, a hynny hwyrach yw ei gamp pennaf. Pan fyddai 'mhell o gartre a hiraeth am Forfudd bron â'i lethu, danfonai Dafydd negesydd, neu latai, i gario'i neges ar ei ran—ond, mewn gwirionedd nid oedd hynny ond esgus iddo ddisgrifio'r postmon boed hwnnw'n aderyn megis yr ehedydd, yr wylan, neu anifail megis y carw neu'r llwynog; neu hyd yn oed 'y don ar Afon Dyfi', y seren, neu'r gwynt; e.e.

Yr wylan deg ar lanw dioer
Unlliw ag eiry neu wenlloer,
Dilwch yw dy degwch di,
Darn fel haul, dyrnfol heli.
Ysgafn ar don eigion wyd,
Esgudfalch edn bysgodfwyd.
Yngo'r aud wrth yr angor
Lawlaw â mi, lili môr.
Llythr unwaith llathr ei annwyd,
Lleian ym mrig llanw môr wyd.

[GDG, 118]

Neu eto i'r 'Gwynt':

Yr wybrwynt helynt hylaw
Agwrdd drwst a gerdda draw,
Gŵr eres wyd garw ei sain,
Drud byd heb droed heb adain.
Uthr yw mor aruthr y'th roed
O bantri wybr heb untroed,
A buaned y rhedy
Yr awron dros y fron fry.
Nid rhaid march buan danad,
Neu bont ar aber, na bad.
Ni boddy, neu'th rybuddiwyd,
Nid ei ynglŷn, diongl wyd . . .

[GDG, 117]

Ceir yn y cywyddau hyn enghraifft ar ôl enghraifft o ddisgrifio manwl a deheuig gan un a brofodd wefr y gweld neu'r clywed. Ydyw, y mae'n fynych yn anodd ei ddeall gan y gŵr cyffredin, ond nid yw y tu hwnt i grebwyll Cymro ymroddgar heddiw, ac yn sicr y mae'n anhraethol haws iddo ei ddirnad nag yw gwaith ei gyfoeswr Geoffrey Chaucer yn Lloegr i'r Sais cyffredin heddiw. Y mae cyfoeth iaith Dafydd, a gloywder ei ddweud, yn rhan o draddodiad cyfoethocaf ein cenedl a dylai fod yn achos balchder naturiol ym mhob un o blwyfolion Trefeurig. Mawrygwn yr athrylith fwyaf erioed a fu'n cerdded lonydd y plwy chwe chanrif yn ôl.

Nid oes dystiolaeth fanwl am flynyddoedd oes Dafydd, ond tybir ei fod yn ei flodau rhwng 1320 a 70. Yn gymaint ag nad oes ganddo gyfeiriad o un math yn ei weithiau at wrthryfel Owain Glyndŵr a gychwynnodd ym 1400, bernir iddo farw cyn hynny. Er bod rhai o'r farn iddo gael ei gladdu yn Abaty Talyllychau ger Llandeilo, mae'n well gen i dderbyn dilysrwydd marwnad ei gyfaill Gruffudd Gryg iddo, a dystia mai ger yr ywen 'ger mur Ystrad-fflur a'i phlas' y gorwedd y mwyaf o'n penceirddiaid. O ystyried mai Afon Masaleg oedd y ffin gul rhwng ei gartref ym Mrogynin a Thirymynach (a oedd yn eiddo Ystrad-fflur) ac y byddai yntau felly'n gyfeillgar â'r mynachod a'i bugeiliai, ac mai ar Dirymynach yr oedd ei 'gadair', roedd Ystrad-fflur yn ddewis cwbl naturiol.

Yno ar 7 Gorffennaf 1951, ar ran Anrhydeddus Gymdeithas y Cymmrodorion, fe ddadorchuddiodd Syr T. H. Parry-Williams gofeb iddo. Yn ei anerchiad meddai, 'siawns na ddaw'r dydd i sylwi ar ardal

Bro Gynin, a gwneud rhywbeth teilwng i ddynodi'r fangre lle'i ganwyd'. Gwireddwyd hynny ar 3 Medi 1977 pan drefnodd yr Academi Gymreig a Chyngor y Celfyddydau i Syr Thomas Parry (golygydd *Gwaith Dafydd ap Gwilym* a gyhoeddwyd gan Wasg y Brifysgol), ddadorchuddio y gofeb hardd yng nghlawdd Tŷ Dafydd ym Mrogynin, a lythrennwyd mor gain gan Ieuan Rees, Llandybïe. Daeth tyrfa o wŷr llên ynghyd ar bnawn godidog a gofir yn hir iawn gan bawb oedd yno.

Penyberth tua 1900.

Gloucester Hall: Plas Gwyn, tua 1900.

Tyddyn y Penrhyn.

'COME-SOME-LUCK'

Nid ar lawr gwlad ond yng ngheseiliau'r moelydd unig y codwyd pentrefi cynharaf plwy Trefeurig—yng Nghwmsymlog, Cwmerfyn, Banc y Darren, a Phen-bont Rhydybeddau—a hynny am fod 'mynyddoedd o arian gwynion' o gwmpas y mannau hyn wedi denu dynion ers cyn cof (o bosib) i gloddio am arian a phlwm a chopr. Yr enwocaf o'r gweithiau oedd Cwmsymlog. I'r Saeson a ddaeth yma i chwilio ffortiwn mae'n hawdd deall fod Pen-bont Rhydybeddau yn fwy na llond ceg, a hynny hwyrach a barodd mai Cwmsymlog, o'r cychwyn, oedd marc swyddfa post y pentrefi hyn er iddo yntau fod yn dalp o rwystr i luoedd. Felly yr aeth yn ei dro yn *Coomsumblock, Consamloch, Consamlack, Consymloch,* a hyd yn oed i ŵr mor ddeallus â Syr John Pettus (mewn ffydd a gobaith, mae'n debyg) aeth yn *Come-some-luck!* Bu'n fendith ddyfod Lewis Morris o Fôn i'r ardal yng nghanol y 18 ganrif i adfer mewn llythyr ac mewn print yr enw cywir, onidê pwy ŵyr pa fath o lurguniad a gaem erbyn heddiw. Digon drwg yw bod Bronfloyd yn lle Bryn-llwyd wedi glynu'n enw ar hen waith Llechwedd-hen/ Glan'rafon.

Nid oes sicrwydd yn y byd pa mor gynnar yn ei hanes y bu dyn yn cloddio yma am fwynau. Dywed Lewis Morris iddo weld offer wedi'u gwneud o gerrig glan y môr yn Nhwll-y-mwyn, Cwmsebon, a brofai iddo fod brodorion cynharaf yr ardal wedi bod yno'n cloddio am fwyn. Honnai eu bod wedi torri ffos ddofn hyd at y graig, a chynnau ynddi dân coed mawr i wresogi'r graig cyn bwrw arni ddigon o ddŵr i'w hysigo; ac wedi iddi oeri fe aed ati i'w hollti â lletemau [*wedges*] a morthwylion cerrig. Fe all fod Lewis Morris yn gywir, ond, fel y dywed W. J. Lewis yn ei gyfrol bwysig *Lead mining in Wales,* roedd hwn yn ddull a ddefnyddiwyd i hollti creigiau gan fwynwyr hyd ddiwedd yr 17 ganrif. Mewn llythyr at ei frawd William, a sgrifennodd ar 13 Hydref 1755, sonia Lewis hefyd am 'the Roman rake' (y ffos Rufeinig) digon tebyg i'r un a welir o ddau tu'r ffordd ar gwr pentre Banc y Darren a thros y gaer uwchlaw Pen-bont. Sonia J. Graham Williams (*British encampments,* t.20) i bum pâl neu raw 'of pure British workmanship, as well as a number of stone hammers and wedges' gael eu darganfod yn lefel ucha gwaith Cwm Darren tua 1850 a bod y mwyaf cywrain ohonynt wedi'u cyflwyno i'r Amgueddfa Brydeinig. Ni wn a ydynt ar gael yno o hyd, ond rhyw ddydd, efallai, fe dry trywel archaeolegwr mwy llwyddiannus na'i gilydd ar dystiolaeth bellach.

Y dystiolaeth ysgrifenedig gynharaf am gloddio am blwm ym mhlwyf Llanbadarn Fawr yw'r cyfeiriad a geir yn *Ministers Accounts for West Wales, 1277-1310* gan Myvanwy Rhys [merch Syr John Rhys] sy'n sôn am gytundeb a wnaed rhwng William de Rogate, cynrychiolydd y Goron, a nifer o fwynwyr o'r cyffiniau. Calon y cytundeb oedd fod gan y Goron hawl ar un o bob naw troedfedd o blwm a gloddid, a chofnodir bod 39 troedfedd wedi'i werthu am 16 geiniog y droedfedd yn ystod y flwyddyn 1305. Cadwai'r Goron hefyd yr hawl i brynu'r gweddill yn ôl 32 swllt y llwyth cert! Yn sicr, dyddiau cynnar iawn oedd hi yn hanes y gweithiau yn yr ardaloedd hyn oherwydd nid oedd modd, meddir, cael o hyd i ddim ond pedwar meinar er bod digon o waith ar gael i lawer mwy. Ni wyddom union sefyllfa'r gwaith mwyn hwn—gallasai fod yng Ngoginan—eto y mae'r ffaith fod Caer y Darren yn amddiffynfa gynnar mor arbennig yn yr ardal ac yn swatio ar riniog Cwm Darren a Chwmerfyn, yn awgrymu'n gryf mai dyma'r fan a dynnodd sylw William de Rogate. Yn sicr ddigon, roedd cael gwaith mwyn plwm o fewn taith dwyawr o gerdded yn fantais ddirfawr i'r Normaniaid wrth godi castell Aberystwyth.

Hyd y gwyddom bu'n gyfnod tawel iawn wedyn am y rhan orau o dair canrif yn hanes cloddio am fwyn ond unwaith y sylweddolwyd maint y cyfoeth a orweddai yn y bryniau hyn, cafwyd tair canrif arall o ddiwydrwydd diwydiannol anhygoel—o gynnull a cholli ffortiynau, o fewnlifiadau o bedwar ban Prydain—ac ar ei diwedd gadawyd y cymoedd hyn wedi'u llwyr anrheithio heb ddim ond siafftydd agored peryglus, tomenni enfawr o gerrig, a llwch plwm afiach, a'u pentrefwyr a'u tyddynwyr wedi'u gadael i drugaredd y pedwar gwynt a'r mwyaf anniddig ohonynt yn ffoaduriaid o'u cynefin i gymoedd diwydiannol de Cymru neu i America. Mae hi'n stori ryfeddol o dwf a dirywiad un diwydiant a fu'n gyfrifol am fodolaeth cyfres o bentrefi'r plwy ac a foldiodd eu poblogaeth amrywiol yn gymdeithas gapelgar, ddiwylliedig. Denwyd yma wŷr enwog yn eu dydd fel nad yw'n syndod darllen fod Cwmsymlog, Cwmerfyn a Darren ar brydiau yn enwau cyfarwydd iawn ar dafod leferydd buddsoddwyr dinas Llundain, yn achos llawer ffrae seneddol, ac fel mêl ar fysedd swyddogion y Trysorlys.

Yn oes Elisabeth I y daeth Cwmsymlog i fri. Wedi llawer ymgais ddi-ffrit gan eraill i ddatblygu'r gwaith, cymerodd gŵr o'r enw Customer Smith brydles ar nifer o weithiau mwyn yn y cylch, ac yn 1586 penododd Charles Evans yn oruchwyliwr Cwmsymlog. Adroddodd yntau fod mwy na gwaith gŵr a bachgen yn ofynnol cyn cael un math o raen ar y lle. Roedd y safle'n un agored i wyntoedd geirwon, yr adeiladau'n adfeilion, ac roedd cymaint o ddŵr yn y gwaith fel na allai'r mwynwyr ddal ati am fwy na theirawr ar y tro! At hynny 'doedd ganddo fawr o feddwl o allu'r gweithwyr brodorol i ymgodymu â'r amryfal broblemau oedd yn eu hwynebu a mynnodd gyflogi dau Almaenwr sef Mathias Ryley a Mathias Shillymstener. Torrwyd ffos tua 120 llath i dynnu'r dŵr o'r gwaith a suddodd Evans siafft i ddwyn awyr iach i'r lefel. At hyn oll cododd efail newydd, trwsiwyd cynifer o'r tai annedd ag oedd yno, ac felly sicrhaodd lety derbyniol i 16 o fwynwyr. Disgwyliai gyflogi 40 o weithwyr erbyn 1588 a chodi wyth tunnell o fwyn yr wythnos.

Gŵr tra dyfeisgar, mae'n amlwg, oedd Charles Evans, oherwydd llwyddodd i doddi'r mwyn ar ben gwaith ar y bumed ran o'r coed a ddefnyddiai ei ragflaenwyr, a chyda dulliau darbodus eraill o weithio gostyngodd y gost o doddi plwm o £5 i 30 swllt y toriad. Fodd bynnag nid ef, ond ei gyflogwr Customer Smith, a gaiff y clod am ddarganfod ym 1590 yr wythïen gyfoethog o arian a ganodd glychau yn ninas Llundain. Mwyach roedd Cwmsymlog yn enw digon hudolus i ddenu mwyngloddwyr a buddsoddwyr o bob gradd.

Ym 1617 cymerodd Syr Hugh Myddelton brydles gwerth £400 y flwyddyn ar y gwaith. Gŵr o Ddinbych oedd ef o'r un llinach â theulu enwog Castell y Waun (*Chirk*). Brawd hynaf iddo oedd Syr Thomas Myddelton, gŵr busnes tra llwyddiannus yn Llundain ac arglwydd faer y brifddinas ym 1613. Prentisiwyd Hugh yn of aur a thyfodd yntau, fel ei frawd, yn un o fasnachwyr pwysicaf a chyfoethocaf y wlad. Daeth yn enwog ar bwys ei lwyddiant—wedi methiant eraill—yn cynllunio'r *'New River System'* i ddwyn dŵr glân i Lundain ond gwnaeth hynny ar golled ariannol enbyd iddo fe'i hun. Mewn llawn gobaith y gallai adfer tipyn o'r cyfoeth a gollodd daeth i Geredigion i weithio Cwmsymlog gan fyw yn Bodfage neu *Lodge Park* ger Tre'r-ddôl.

Fel rheol 'doedd fawr o groeso i ddynion dŵad fel Customer Smith a Charles Evans i barlyrau'r sgwieriaid a rygnai eu bod yn dwyn bara o'u cegau wrth iddynt weithio'r mwynau oedd ar eu stadau. Ond gŵr ag arian yn ei wadnau oedd Syr Hugh gan ei fod o dras mor fonheddig â mwyafrif gwŷr plasau Ceredigion, yn ŵr busnes llwyddiannus yn Llundain yn ei ddydd, ac yn beiriannydd blaengar. At hynny roedd ganddo bedair o ferched dengar, a sicrhaodd yntau ei blwy pan briododd Hester (yr ail ohonynt) Syr Richard Pryse, barwnig cyntaf Gogerddan. Yn ôl cyfoeswr iddo gŵr hytrach yn wyllt ac anystywallt oedd sgwïer Gogerddan. Ef, ym 1642, a gododd y pac cyntaf o gŵn hela yng Nghymru.

Yn ei adroddiad cyntaf i Thomas Walker, y Tirfesurydd Cyffredinol (*Add. Letters* gol. H. Owen, 11 Ebrill 1745) honnai Lewis Morris fod Myddelton wedi gwneud elw o £24,000 y flwyddyn dros gyfnod yng Nghwmsymlog yn unig, a dywedir iddo, yn ystod ei dymor yma, yrru gwerth £50,000 o arian i'w fathu yn Llundain. Honnir ei fod yn toddi 100 owns o arian o bob tunnell o fwyn. Ni sonnir am faint yr elw ychwanegol a wnaeth o'r plwm a werthodd! Un rheswm sicr am ei lwyddiant oedd iddo fod yn ddigon blaengar i ddatblygu, neu'n fwy tebyg i sicrhau, dau beiriant i bwmpio'r dŵr o'r gwaith, a olygai y gallai gloddio'n ddyfnach heb i'r gwaith foddi. Roedd hyn lawn mor fendithiol i iechyd corfforol y mwynwyr ag oedd i elw'r Cwmni.

Dilynwyd Syr Hugh Myddelton gan Thomas Bushell a fu yn ei fachgendod yn was i Syr Francis Bacon ac a dyfodd i fod yn un o gyfeillion pennaf y gŵr athrylithgar hwnnw. Er iddo wario'n drwm ar waith Cwmsymlog ni chafodd yno debyg y llwyddiant ag a brofodd yn Nhal-y-bont a Goginan. Ei gyfeillgarwch â'r Brenin Siarl I a hwylusodd y ffordd iddo gael caniatâd y Gymdeithas Mwynfeydd Brenhinol i gymryd prydles ar y gweithiau yn y lle cyntaf a thrwy ffafor y Brenin hefyd y cafodd drwydded ym 1637 i fathu arian yng nghastell Aberystwyth yn hytrach na chludo'r mwyn dros ddau can milltir o daith beryglus i'r Bathdy Brenhinol yn Llundain. Ewch i'r Amgueddfa Genedlaethol yng Nghaerdydd neu Amgueddfa Ceredigion yn Aberystwyth a chewch weld enghreifftiau o'r arian a fathwyd ganddo. Yn ystod y Rhyfel Cartref rhwng y Brenin a'r Senedd talodd Bushell y pwyth yn ôl i Siarl trwy ddilladu catrawd o'i filwyr a chyfrannu symiau sylweddol i'w goffrau.

Ei gamp fwyaf yng Nghwmsymlog oedd agor lefelau ar lawr y cwm er mwyn draenio'r dŵr o'r gwaith. Fel y digwydd yn aml mewn bywyd roedd hyn yn ateb syml iawn i hen broblem, a'r syndod oedd na thrawodd neb ar y syniad o'i flaen! Problem fawr arall oedd sicrhau digon o awyr iach i'r gweithwyr dan y ddaear. Dull ei ragflaenwyr oedd suddo siafft pob 40 gwryd (*fathom*) ond trodd Bushell at ddull yr Almaenwyr o osod pibell blwm ar hyd llawr y lefel a'i chysylltu ag anferth o fegin wrth geg y gwaith.

Cafodd Bushell fwy na'i siâr o ofidiau oherwydd Syr Richard Pryse, nid yn unig yn Nhal-y-bont ond hefyd yng Nghwmerfyn a Chwmsymlog. Fel Arglwydd Maenor Llanfihangel Genau'r-glyn roedd ganddo'r hawl i alw'r llys (*Court Leet*) pryd y mynnai, a gwnâi hynny'n gwbl fympwyol gan orfodi'r dynion i ymgynnull er mwyn eu rhwystro i fynd i'r gwaith. 'Doedd ganddo mo'r un awdurdod yng Nghwmwd Perfedd, ond gan fod Gogerddan yn berchen fferm neu ddwy ym mhen ucha'r ddau gwm, y peth rhwyddaf yn y byd oedd atal dŵr i'r gweithiau a gwrthod gwerthu coed at gynnal a chadw, er i Dŷ'r Arglwyddi geisio'i wahardd ef a'i gyfeillion.

Cadwai Bushell, fel mae'n bosib y gwnaeth Myddelton, weinidog o'r enw Thomas Broadway i wasanaethu yn y capel bach a godwyd at ofynion y mwynwyr yng Nghwmsymlog. Gydag enw fel Broadway, prin ei fod yn Gymro Cymraeg, sy'n awgrymu'n gryf mai mewnfudwyr yn bennaf o Loegr oedd mwyafrif y gweithwyr.

Ar wahân i Dal-y-bont, Goginan a Chwmystwyth, bu Thomas Bushell yn fawr ei ddiwydrwydd yng Nghwmsymlog, Cwmerfyn, y Darren, a Bronfloyd [Llechwedd-hen] ond effeithiodd y Rhyfel Cartre yn andwyol ar y diwydiant. Am fod dylanwad y Seneddwyr yn drwm yng Ngheredigion symudwyd y Bathdy ym 1642 o Gastell Aberystwyth i Amwythig. Syrthiodd y castell i ddwylo milwyr Cromwell ym 1647 a dwy flynedd yn ddiweddarach fe'i chwalwyd. Mae'n bur debyg mai'r rheswm fod y chwalfa yma wedi bod yn llwyrach na'r un castell arall yng Nghymru oedd y ffaith bod powdwr at ddefnydd y mwynfeydd yn cael ei gadw yn y castell ac i hwnnw gyfrannu'n sylweddol at chwythu'r muriau cerrig trwchus.

Hanner cylch o ddiffeithwch anial oedd y mynydd-dir a'i phentrefi diwydiannol o Dal-y-bont i Gwmystwyth erbyn diwedd y rhyfel ac am flynyddoedd wedyn. Aeth y gweithiau â'u pennau iddynt a gadawyd y gweithwyr yn ddigon tlawd ac anghenus. Y mae tystiolaeth fod Bushell yn feistr lled ddyngarol at ei weithwyr. Dywedir iddo gyflogi tua 500 o ddynion ac ar un cyfnod o brinder mawr prynodd ar ei gost ei hun tua 250 tunnell o ŷd o sir Benfro i'w rannu rhyngddynt.

Hawliai'r Goron bob mwyn gwerthfawr, megis aur ac arian, ni waeth pwy oedd berchen y tir, a thrwy gymryd prydles gan y Gymdeithas Mwynfeydd Brenhinol yn unig y llwyddodd Myddelton, Bushell a'u tebyg i gael gweithio Cwmsymlog, Cwmerfyn, y Darren a gweithiau eraill gogledd y sir. Ond hyd yn oed wedyn roedd hi'n orfodaeth arnynt werthu'r mwynau gwerthfawr hyn i'r Bathdy Brenhinol i'w droi'n arian. Roedd yn dân ar groen y sgwieriaid weld dieithriaid yn dod atynt gyda thrwydded oddi wrth y Gymdeithas a roddai hawl iddynt gloddio am drysor ar eu stadau. Buont wrthi'n grwgnach yn hir am yr annhegwch hwn, ac ym 1689 fe lwyddwyd i gael deddf seneddol—cofier mai landlordiaid oedd y mwyafrif mawr o'r aelodau seneddol—a roddai hawl i berchen tir gloddio am fwynau cyffredin ar ei dir ei hun, ond nid aur ac arian. Un pnawn braf yn ystod yr haf dilynol (sef 1690) aeth dau fugail i dorri mawn ar yr Esgair-hir—y tu draw i'r Camdwr—a chael profiad a fu'n help mawr i newid cwrs hanes. Er na ddigwyddodd hyn o fewn ffiniau Trefeurig, y mae'n werth ac yn briodol sôn amdano yma gan mai sgwïer Gogerddan oedd y prif gymeriad yn y ddrama fawr a ddilynodd.

Wrth i'r ddau fugail ddigroeni'r pwll mawn, er dirfawr sioc iddynt yr hyn a ddaeth i'r golwg, meddir, oedd gwythïen o arian pur na welsent erioed mo'i thebyg. Mesur o'u diniweidrwydd neu eu taeogrwydd (fel y mynnoch) oedd iddynt hel eu sodlau ar fyrder i Blas Gogerddan i adrodd yr hanes. Bryd hynny, nid pawb a gâi wahoddiad i barlwr y plas, ond unwaith y sylweddolwyd byrdwn eu neges ni fu'r ddeuddyn fawr o dro cyn cael eu traed o dan fwrdd Syr Carbery Pryse, a childwrn hael yn gyfnewid am gadw'r gyfrinach a dychwelyd i'r pwll mawn i guddio'r trysor rhag llygaid sbiengar dieithriaid. Caed addewid hefyd na fyddai iddynt dorri eu cyfrinach i un dyn byw.

Pan sylweddolodd Syr Carbery Pryse fesur posibl y darganfyddiad aeth ar ei union i gymell cefnogaeth nifer o dirfeddianwyr pwerus a ffroenai elw iddynt eu hunain pe llwyddent i dorri'r hawl frenhinol. Ond nid ar chwarae bach y dygir oddi ar y Goron yr hyn a seliwyd gan amser.

Un o gefnogwyr a chynghorwr parod Syr Carbery Pryse oedd William Waller a fu am flynyddoedd yn gweithio i Gymdeithas y Mwynfeydd Brenhinol yng ngogledd Lloegr—ond a gollodd ei swydd, yn ôl Moses Stringer, am iddo geisio twyllo tenantiaid y Gymdeithas o'u prydlesoedd. Yn y man daeth i Geredigion, ac er mwyn dial ar y Gymdeithas a ofalai dros hawliau'r Goron ar fwynfeydd aur ac arian, cynllwyniodd i brofi nad oedd y mwyn a gaed yn yr Esgair-hir yn ddigon cyfoethog mewn arian i'w ystyried yn eiddo'r Goron. Er iddo gael ei bardduo'n enbyd gan Stringer ac eraill o'i elynion, y mae hefyd dystiolaeth ei fod yn weithiwr caled ac yn beiriannydd effeithiol. Ym 1692 fe'i penodwyd yn rheolwr y gwaith.

Ar yr adeg hon y gŵr a ddaliai brydles y Gymdeithas i weithio mwynfeydd arian Ceredigion oedd Anthony Shepherd, a mynnai ef fod hynny'n cynnwys yr Esgair-hir ar gorn yr adroddiadau am y cyfoeth oedd yno. Chwarae teg iddo, roedd eisoes, meddir, wedi gwario £10,000 ar ddatblygu Cwmsymlog ac roedd yn dechrau newnu ar ei draed pan dorrodd y newydd am yr Esgair-hir. Aeth yn fater o gyfraith rhwng Shepherd a Syr Carbery a diwedd y gân fu bwrw'r achos i Dŷ'r Arglwyddi a farnodd fod y ddau yn cyflwyno siampl yr un o fwyn o'r Esgair-hir i'w ddadansoddi yn Woolwich. Cafwyd bod y darn mwyn a gyflwynodd Shepherd yn cynnwys cyfartaledd uchel o arian, tra oedd siampl Syr Carbery yn gyffredin iawn. Bu'n wrandawiad hir, ond yn y diwedd Syr Carbery Pryse a orfu. Fodd bynnag, cyn iddo ganu cloch ei fuddugoliaeth, fe'i cyhuddwyd o dwyllo'r Arglwyddi a hawliwyd bod ailwrando'r achos wedi i was y Llys fynd yn gyfrifol am siampl newydd o fwyn o'r Esgair-hir a sicrhau archwiliad swyddogol newydd. Er hyn, roedd Pryse a'i gyfeillion yn tyfu mewn hyder a dylanwad seneddol. Nid oes, fodd bynnag, dim a dywylla farn fel oedi cyngor. A hynny a fu. Yn wir nid oes ronyn o dystiolaeth fod gwas y Llys erioed wedi teithio i'r Esgair-hir, ond eto i gyd, sicrhaodd Syr Carbery Pryse ail ddyfarniad o'i blaid.

Yn y Senedd gwasgodd nifer gynyddol o'r Aelodau ei bod yn hwyr bryd caniatáu i bob perchen tir gloddio pob mwyn ar ei ystad heb ganiatâd y Goron, gan fod y drefn a fodolai yn rhwystr i ddatblygiad diwydiannol y wlad. Felly, yn gynnar ym 1793 cyflwynwyd mesur seneddol a alwyd *An act to prevent disputes and controversies concerning the Royal Mines,* ac ymhen mis, sef 8 Chwefror, bu'n rhaid i'r brenin osod sêl ei fendith arno. Rhag bod neb yn cael ei demtio i fathu arian yn anghyfreithiol diogelwyd hawl y Goron i brynu pob aur ac arian a gloddiwyd, ond ei bod yn ofynnol gwneud hynny o fewn 30 diwrnod.

Ffrwydrodd gorfoledd Syr Carbery Pryse. Ymhen 48 awr roedd yn ôl yng Ngogerddan wedi marchogaeth bob cam o'r daith o Lundain, a phan gyrhaeddodd, ei weithred gyntaf oedd rhoi ffagl i goelcerth ddathlu enfawr a godwyd ar Gaer Broncastellan ac a fu'n arwydd i

Melin Cwmbwa, tua 1930.

danio llu o rai tebyg ar bob caer yng ngogledd y sir. [Yn ôl un hanes, i Esgair-y-mwyn yr aeth gyntaf ond tystiodd Syr George Pryse wrth yr awdur mai traddodiad y teulu oedd mai i Ogerddan y cyrchodd.]

Canlyniad pennaf hyn fu rhoi cyfle i gychwyn chwyldro diwydiannol ym Mhrydain gryn ganrif o flaen gwledydd eraill Ewrob. Porthi gobaith ei galon fod gwythïen arian ynghûdd yno a barodd i berchen pob cyfer o dir yn y parthau hyn ddal gafael diymollwng yn ei etifeddiaeth. Ond byrddydd o lawenydd a brofodd Syr Carbery Pryse. Ym mis Mai 1694—15 mis wedi'i fuddugoliaeth hanesyddol—bu farw. Nid y lleiaf ei hiraeth oedd William Waller a welai berygl i'r holl fenter droi'n goden fwg ac, wrth hynny, iddo yntau golli'r cyfle i iro'i ddwylo.

Erbyn hyn roedd wedi newid ei gân ynglŷn â gwerth y mwyn oedd i'w gael yn yr Esgair-hir. Bellach ceisiai argyhoeddi'r wlad mai yno roedd yr wythïen fwyaf trwchus (7½ troedfedd) o arian ar a glywodd sôn amdano. Ond rhedeg i drafferthion dygn a wnaeth. Fe'i cafodd hi'n amhosib cael gwared o'r dŵr oedd yn cyson foddi'r gwaith ac ar fyr o dro roedd wedi codi £15,000 o ddyledion na allai eu talu, fel y bu'n rhaid rhoi'r gorau i'r gwaith dros dro.

Eto, ni phallodd ei frwdfrydedd ddim. Mewn ymdrech i ddenu pobl i fuddsoddi yn y gwaith, ym 1698 fe gyhoeddodd *An Essay on the value of the Mines late of Sir Carbery Price* [*sic*] fel prosbectws. Gan ddyfynnu o *Fodinae Regalis* Syr John Pettus, sonia fod tunnell o fwyn o weithiau Goginan, Cwmerfyn a'r Darren yn esgor ar 14 pwys o arian, ac o Gwmsymlog 20 pwys y dunnell, ond, meddai, fe godid o waith y diweddar Syr Carbery Pryse fwy o arian i'r dunnell nag a gaed o'r holl weithiau eraill gyda'i gilydd. Roedd hyn yn honiad dirfawr o gofio'r bri oedd i'r pedwar gwaith hyn. Ond gŵr llyfn ei dafod oedd William Waller. Roedd yr wythïen a gaed yn yr Esgair-hir yn mesur 7½ troedfedd o fwyn pur, yn ôl Waller, a'r fwyaf o'i bath yn yr holl fyd, hyd y gwyddai ef. Nid rhyfedd felly iddo ei llysenwi *'The Welsh Potozi'* ar ôl y gwaith arian cyfoethocaf yn y byd a gaed yn Peru. Yn yr Esgair-hir, fodd bynnag, yr oedd arian, plwm a chopr. O gyflogi chwe chant o weithwyr a gloddiai dri chan tunnell o fwyn yr wythnos fe ellid gwneud elw o £70,500 y flwyddyn. Yr oedd yn anhepgor, fodd bynnag, sicrhau cyfalaf digonol—tuag £20,000 oedd awgrym Waller—cyn dechrau ar y gwaith.

Ar hap a damwain, fodd bynnag, cyfarfu Waller â Syr Humphrey Mackworth, perchen gweithiau glo yng Nghastell-nedd, a oedd yn digwydd bwrw'r nos yn un o dafarnau Llanbadarn Fawr. Gwelodd goruchwyliwr yr Esgair-hir ei gyfle. Pe llwyddai i ddenu'r diwydiannwr enwog hwn i'r Cwmni, byddai ei arian a'i brofiad fel peiriannydd yn ddigon i gymell digon o fuddsoddwyr i warantu'r cyfalaf gofynnol. Llwyddodd heb ormod o ymdrech, ac ymhen blwyddyn roedd Mackworth wedi prynu cyfranddaliadau Syr Carbery Pryse am £15,000.

Mewn llawer ffordd, dau o'r un brid oedd Mackworth a Waller—y naill yn gyfrwys a dyfeisgar a'r llall â'r ddawn i weithredu'r ddyfais yn gyflym ac effeithiol. Er enghraifft, er mwyn clirio'r dyledion a chodi peth cyfalaf, trefnodd Mackworth loteri sylweddol ond dawn gyhoeddusrwydd Waller, yn ddiamau, a barodd iddynt godi dros £25,000 y diwrnod cyntaf, sef 1 Medi 1698.

Ond man anghysbell ac anial oedd yr Esgair-hir, heb ffordd yno a heb loches. Ond i ddeuwr mor flaengar nid oedd hynny ond her i'w threchu. Prynwyd fframiau cabanau parod o goed yn Llundain, a'u cludo i'r Esgair ac erbyn 1699 roedd yno gant o dai ar gyfer y gweithwyr. Codwyd tunellau lawer o fwyn, ond o gofio mai lladd mawn roedd y ddau fugail a ddinoethodd yr wythïen wreiddiol nid yw'n syndod yn y byd na allai Waller ymgodymu â'r llifoedd cyson o ddŵr. Roedd *The Company of Mine Adventurers* yn fuan mewn dyfroedd dyfnion mewn mwy nag un ystyr ac er mwyn ceisio tawelu cwynion y buddsoddwyr cymerwyd prydles ar Gwmsymlog—y mwyaf dibynadwy o'r holl weithiau. Yn fuan roedd y Cwmni'n dal cryn 28 o weithiau yn y sir mewn ymgais i gornelu'r farchnad, mae'n siŵr, oherwydd fe gadwyd nifer ohonynt ar gau yn fwriadol. 'Doedd hi ddim yn ddaearegol syml ar unrhyw adeg gan fod tuedd i wythïen o fwyn ddiflannu ym mhlygion y creigiau, ond esgus cloff iawn oedd hyn i fuddsoddwyr Llundain na ddeallent ddim ond swm y llog a delid iddynt. Erbyn 1707 dechreuodd Waller daflu llwch hyd yn oed i lygaid Mackworth, yn y gobaith y deuai llwyddiant iddo maes o law. Yn y cyfamser roedd yntau, wedi'i lwyr feddwi gan addewidion Waller, a braidd yn fyrbwyll, wedi agor banc yn enw'r Cwmni, sef *The Mine Adventurers Bank.* Fel y digwydd o bryd i'w gilydd i rai sy'n rhy fentrus, daw'n ddydd o brysur bwyso pan fo'r haul ar ei wannaf. Dyna fu profiad y ddeuddyn hyn yn y flwyddyn 1708. Roedd hi'n wasgfa ariannol gyffredinol, a phan fethodd yr Esgair-hir â lliniaru gofid Mackworth ni fu fawr o dro cyn gwneud ei 'gyfaill' yn fwch dihangol! Edliwiodd yn gyhoeddus mai coden fwg oedd addewidion bras

Waller a gyrrwyd cynrychiolaeth o'r Cwmni i Geredigion i adrodd beth oedd gwir gyflwr y gweithiau. Cyhuddwyd Waller o dwyllo ac fe'i diswyddwyd yn y man a'r lle a'i daflu allan o Blas Ynys-hir lle y cartrefai.

Nid gŵr llywaeth 'y gern arall' oedd Waller. Teithiodd yntau i Lundain ac aeth ati i amddiffyn ei gam drwy bardduo ei hen gyfaill ar lafar ac ar lyfr. Daeth yn ben set pan gyhuddodd Syr Humphrey Mackworth ef fod ei gyfrifon cyffredinol yn brin o gymaint â £14,543 ac na allai roi cyfrif am werth £5,946 o offer a nwyddau a yrrwyd iddo ar gyfer y gweithiau.

Arwydd o bwysigrwydd y diwydiant ac o fwyngloddau Ceredigion yn arbennig, oedd i bwyllgor seneddol gael ei ddewis i ymchwilio i'r cyhuddiadau a'r diwedd fu cael Syr Humphrey Mackworth, William Shiers (Ysgrifennydd) a Thomas Dykes (Cyfrifydd y Cwmni) yn euog o dwyll. Bu'n rhaid i'r cyntaf hel ei draed ato a gadael yr ardal a mwyach ei gyfyngu ei hun i'w weithiau glo yng Nghastell-nedd. Ei drosedd pennaf, fe ymddengys, oedd iddo, trwy gyfrwng y banc a sefydlodd, gymryd ato'i hun yr hawl i drafod arian y Cwmni yn ôl ei ffansi a heb gadw cyfrif o fath yn y byd.

Rhywsut mae'n anodd cysoni'r Humphrey Mackworth uchod â'r gŵr elusengar a dyngarol a gododd gapeli i'w weithwyr yng Nghwmsymlog a'r Esgair-hir (ai hwn tybed oedd rhagflaenydd Capel Sbaen yr Annibynwyr?) ac a dalodd £20 y flwyddyn i'w gweinidog; a drefnodd ysgol elusennol yn yr Esgair-hir ac efallai yng Nghwmsymlog yn ogystal. Ef hefyd oedd un o bedwar lleygwr a fu'n gymaint cefn i'r Dr Thomas Bray a sefydlodd y Gymdeithas er Taenu Gwybodaeth Gristnogol (S.P.C.K.) a fu'n gyfrifol am gyhoeddi a rhannu cynifer o lyfrau Cymraeg, ac a fu hefyd yn prysur sefydlu ysgolion teithiol i ddysgu'r werin i ddarllen.

Er bod William Waller yntau'n euog o gamymddwyn mae'n rhaid nad oedd ei bechodau, yng ngolwg y pwyllgor seneddol, yn debyg i'r eiddo Syr Humphrey Mackworth, oherwydd daliodd ef, a'i fab, i weithio yn y cylch am flynyddoedd lawer.

Sut bynnag, llosgi'u bysedd a wnaeth llawer o'r buddsoddwyr oherwydd llanast yr Esgair-hir. 'Ond pa gyswllt,' meddech, 'sy rhwng yr hanes hwn a phlwy Trefeurig?' Hyn: oherwydd fod Waller yn ystyried yr Esgair-hir fel brenin y gweithiau roedd yna duedd gref ynddo i drin y gweddill fel gwerin dlawd. Cadwyd Cwmerfyn yn segur o 1795 hyd 1810 a llwyr anwybyddwyd y Darren. Am fod iddo hanes cyfoethog cymerodd Cwmni'r *Mine Adventurers* brydles ar Gwmsymlog ym 1731 yn y gobaith y caent agor talcen newydd ym Mlaen-Cwmsymlog, ond cyndyn iawn oedd Thomas Pryse, Gogerddan. Ymhen hir a hwyr cytunodd â chais y Cwmni, ac er mai ar dir y Goron yr oedd y gwaith newydd, ni fu hynny rwystr yn y byd i Thomas Pryse dderbyn y breindal!

Ym 1731 ailagorwyd gwaith y Darren gan ŵr o Gernyw o'r enw Edmund Moore, ond ar waethaf ei lwc cychwynnol, collodd yr wythïen gyfoethog a ddarganfu a chaewyd y gwaith. Yna, ar hap a damwain megis, fe drawyd arni eilwaith gan ddau fwynwr di-waith a oedd yn cloddio ar eu liwt eu hunain. Daeth tro ar fyd. Ailgynheuwyd cannwyll ffydd buddsoddwyr a daeth gobaith newydd i'r ardal.

Aeth y sôn am lwyddiant gwaith y Darren yn fuan ar led ac ym 1740 denwyd cwmni o sir y Fflint i fentro cymryd prydles ar yr holl weithiau a oedd ar stad Gogerddan, ac eithrio Cwmsymlog. Profodd yn fenter lwyddiannus iddynt oherwydd o fewn dwy flynedd codwyd 1,500 tunnell o fwyn a werthwyd am £10 a mwy y dunnell. Ond gwŷr trachwantus oeddynt, yn estyn eu cortynnau ar draws mwy o weithiau nag oedd ganddynt gyfalaf i'w gweithio'n effeithiol, a chynffon eu cyfrifoldeb yn rhy fynych oedd y mwynwyr a adawyd ar y clwt. Yn wir, oni bai am y waddol o gydwybod gymdeithasol a feddai Prysiaid Gogerddan, byddai teulu llawer mwynwr wedi llwgu. Droeon bu'n ofynnol i asiant yr ystad leisio wrth y Cwmni farn y sgwïer am esgeulustod y *Flintshire Mining Company* o'i weithwyr.

Y mae clustiau gweision y Trysorlys yn fain iawn pan fo tinc arian yn y gwynt, a'r tro hwn ni fuont yn hir cyn holi ai ar dir y Goron roedd gwaith y Darren-fawr. Roedd y ffin yn agos iawn, ac er mwyn ceisio profi'i hawl cymhellwyd Edmund Moore i ailgychwyn cloddio yno. Cododd hyn wrychyn Thomas Pryse a hawliai fod y gwaith yn llwyr ar dir a oedd yn perthyn i stad Gogerddan. Bu'n rhaid cynnal Comisiwn Ymchwil yn Aberystwyth a dyfarnwyd o blaid Pryse. Yna, ym 1742 cymerodd William Corbett a Charles Richards, Pen-glais, brydles ar yr holl fwynfeydd a orweddai ar diroedd y Goron yng Nghwmwd Perfedd. Yn eu tro rhoesant hwythau hawl unwaith eto i Edmund Moore gloddio ar y Darren ar ddarn o dir yr oeddynt yn bur sicr oedd yn eiddo'r Goron. I'r sgwieriaid, fodd bynnag, 'doedd gan y Goron yr un hawl ar diroedd cwmin yng Nghymru gan eu bod yn ôl hen gyfraith y Cymry yn rhan annatod o'u treftadaeth nhw. Ar y llaw arall hawliai'r Goron i'r gyfraith honno gael ei diddymu gan goncwest

Edward I. Unwaith eto, penderfynodd Thomas Pryse, a oedd yn Aelod Seneddol, apelio i'r Senedd a ddyfarnodd o'i blaid gyda cherydd i Corbett a Richards. Dros dro yn unig y bu heddwch. Cyn gynted ag yr aeth yr Aelodau Seneddol ar wyliau dros y Pasg cymerodd Corbett a'i fwynwyr o Gernyw feddiant o lefel a weithid gan wŷr sir y Fflint—tenantiaid Gogerddan. Cododd y gwres ar unwaith ac aeth yn ymrafael chwyrn rhwng y ddwyblaid.

Mae'n bur debyg mai'r cecru parhaus hwn ynglŷn â ffiniau tiroedd y Goron yn yr ardal a barodd i swyddogion y Trysorlys ym 1744 gynnig comisiwn i Lewis Morris i baratoi arolwg ynghyd â map, o Gwmwd Perfedd, gan nodi'n arbennig y ffiniau rhyngddynt a thiroedd preifat. Roedd ef eisoes wedi ennill cryn fri am lunio siart o arfordir Cymru o'r Gogarth [Llandudno] i Aberdaugleddau ym Mhenfro. Ym 1746 penodwyd William Corbett i ofalu am diroedd y Goron yng Ngheredigion [*Steward of the Crown Manors of Cardiganshire*] a dewisodd yntau Lewis Morris yn ddirprwy iddo. Ar y cychwyn aeth 'Llywelyn Ddu o Fôn' i fyw i Gwmsymlog cyn symud i Gelli Fadog. I'r neb sy â chanddynt ddiddordeb yn y gŵr amryddawn hwn, darllened *Y Llew a'i deulu* gan Tegwyn Jones (un o blant mwyaf dawnus Trefeurig). Roedd llawer o sgwieriaid sir Aberteifi yn ei gyfrif yn fradwr o Gymro Cymraeg a oedd yn barod i'w herlid nhw ar ran y Goron pan oeddynt yn ceisio ymestyn eu tiroedd trwy fachu ambell ddarn o gwmin brenhinol.

Un o'r camau cyntaf a gymerodd William Corbett wedi derbyn ei swydd, oedd cymryd prydles ar Blaen-Cwmsymlog, ac ar ei union bu'n ddigon ffodus ym 1749 i daro ar wythïen o fwyn hynod gyfoethog mewn arian, a'r union un, fe dybir, a weithiwyd gan Syr Hugh Myddelton. Yn ei dro agorodd John Paynter, partner Corbett, siafft newydd ar ochr ddwyreiniol y gwaith, a bu yntau yr un mor lwcus. Daeth bywyd newydd i'r Cwm.

Lewis Morris a'i frodyr Richard, William a John, yn ddi-ddadl yw prif lythyrwyr llenyddol Cymru. Y mwyaf o'r pedwar oedd Lewis, ac y mae ei lythyrau yn frith o gyfeiriadau at ei broblemau yma yn Nhrefeurig. Casglodd lawysgrifau a llyfrau gyda'r bwriad yn y pen draw o weld sefydlu llyfrgell genedlaethol Gymraeg, ond aeth canrif a mwy heibio cyn y gwireddwyd y freuddwyd honno, fel pan fu farw fe gyflwynwyd ei gasgliad helaeth i'w ddiogelu yn yr Amgueddfa

Brydeinig (y Llyfrgell Brydeinig bellach) yn Llundain.

Roedd yn ŵr gweddw 45 oed pan ddaeth i fyw i'r Allt Fadog, a daliodd yn fuan ar y cyfle i gymryd prydles ar waith Cwmerfyn-fach. Hynny a'i clymodd weddill ei ddyddiau wrth y diwydiant mwyn yn sir Aberteifi. Yn Hydref 1749 fe briododd eilwaith ag Anne Lloyd, aeres ifanc ystad fach y Penbryn, Goginan, ac erbyn C'lamai 1757 roedd ef a'i deulu wedi symud i fyw yno. Roedd gan Lewis obeithion mawr y gallasai ei wraig hefyd etifeddu Cwmbwa yn ogystal â darn o dir Bryn-llwyd—Bronfloyd y Saeson—lle rhedai'r wythïen fwyn i ben, ond gan i rieni Anne farw'n ddiewyllys aeth yn gyfraith hir a chostus â changen o'r teulu oedd yn byw ym Mhenpompren, Tal-y-bont. Mae'n ymddangos mai colli a wnaeth y Llew o Fôn, oherwydd cyn diwedd y ganrif (tua 1787) prynodd ystad Gogerddan ffermydd Llwyngronw, Cwmbwa a'i melin, Darren-fawr, a Darren-fach oddi wrth deulu Penpompren. Gofid pennaf Lewis oedd y collai ei hawl ar waith Bronfloyd a agorodd ef ar dir Bryn-llwyd a elwir yn lleol yn Llechwedd-hen.

Ceir sôn mynych yn llythyrau Lewis Morris am ddigwyddiadau ac arferion y dydd yn yr ardaloedd hyn a llawn mor ddiddorol yw'r cip a gawn ar syniadau'r dosbarth gweithiol. Mewn llythyr at ei frawd William a sgrifennodd yn yr Allt Fadog ar 14 Hydref 1754, sonia am gred y mwynwyr ym modolaeth y bobl bach anweledig a elwid yn *Knockers* a ddyfal gnociai'r graig o dan ddaear er mwyn arwain y mwynwyr at wythïen gyfoethog o fwyn. Roedd hon yn hen gred ymhlith mwynwyr drwy Ewrob gyfan. Yn sir Amwythig fe'u gelwid yn 'Hen Ddynion' (*Old men*) a gysylltwyd ag Edric yr arwr Sacsonaidd o'r 11 ganrif a ddedfrydwyd gan Wiliam Goncwerwr nid i'w farwolaeth ond i dynged didoriad, di-drai o grwydro gweithiau mwyn plwm am byth. Roedd gwŷr Cernyw hefyd yn credu ynddynt ond gyda hyn o wahaniaeth—mai ysbrydion yr Iddewon a groeshoeliodd yr Iesu oeddynt ac mai'r penyd am eu pechod oedd eu bod yn gorfod treulio gweddill eu hamser dan ddaear yn cynorthwyo mwynwyr. Gan i gynifer o fwynwyr Cernyw ddod i'r ardaloedd hyn mae'n bur debyg mai nhw a blannodd yr ofergoel ym meddwl mwynwyr Ceredigion. Wrth sôn amdanynt yn ei lyfr *Coelion Cymru,* tystia Evan Isaac iddo glywed cnocio'r dynion bach hyn yng ngwaith yr Esgairhir pan oedd yn laslanc o fwynwr yno ar droad y ganrif hon, ond Coblyn(-nau) yw'r enw a rydd ef arnynt. Yn sicr fe wreiddiodd y gred yn ddwfn yn yr ardaloedd hyn oherwydd mi glywais ei hadrodd gydag argyhoeddiad gan gyn-fwynwyr mor ddiweddar â 1938! Megis gwŷr Cernyw roedd y Cymry hefyd yn credu mai cam doeth oedd gadael bwyd neu gysuron megis canhwyllau i'r cnocwyr, onidê fe ddigient hyd at beryglu bywydau'r mwynwyr.

Gŵr nodedig am ei nawdd a'i ysbrydiaeth i feirdd a llenorion oedd Lewis Morris. Nid y briwsion oddi ar ei fwrdd a dderbyniodd y ddau athrylith Goronwy Owen ac Evan Evans (Ieuan Brydydd Hir). Yn wir, oni bai am ei gefnogaeth hael a pharod iddynt fe fuasai'r golled i farddoniaeth ac ysgolheictod Cymraeg yn ddirfawr.

Fel gwas i'r Goron y daeth ef i'r ardal ond ni fu yntau nemor dro cyn magu gobaith am wneud ei ffortiwn ei hun yng Nghwmerfyn, i ddechrau, cyn lledu'i adain. Er iddo, o dro i dro, dorri trwyn rhai o landlordiaid gogledd y sir, roedd eu hawdurdod lleol nhw dros denantiaid a chyhoedd—yn arbennig felly awdurdod Arglwydd Raglaw'r Sir a'r Ustusiaid Heddwch—yn ddigon i fygu protestiadau Lewis Morris am eu camweddau. Nid peth bach oedd herio'r Arglwydd Lisburne o'r Trawsgoed, William Powell, Nanteos, a Peter Lloyd, Ffynnon Bedr, ond hynny a wnaeth ef yn achos hynod gwaith Esgair-y-mwyn (tua thair milltir o Ystradmeurig) a oruchwyliai ar ran y Trysorlys. Ym 1752 fe'i penodwyd yn Asiant a Goruchwyliwr y gweithiau mwyn a gaed ar diroedd y Goron, ac enynnodd ddicter y triawd uchod pan hawliodd fod Esgair-y-mwyn ar dir y Goron. Gan arwain byddin swnllyd o'i bobl aeth Powell i'r gwaith gan ddychryn y mwynwyr a bwrw Lewis Morris i garchar Aberteifi lle bu'n rhaid iddo ddisgwyl am tua chwech wythnos cyn cael ei draed yn rhydd. Heuwyd hadau amheuon ynglŷn â'i gyfrifon i'r Trysorlys. Dewiswyd dau i'w harchwilio, sef John Tidy (un o Arglwyddi'r Trysorlys) a John Paynter a fu'n gweithio Cwmsymlog ac yn ôl pob tebyg yn gyfaill o fath. Ar dystiolaeth ddigon brau ac amheus fe gafwyd bod digon o ddiffyg yn ei gyfrifon i ddiswyddo Lewis Morris yn Ionawr 1756. A phwy, meddech, a benodwyd yn ei le? Neb llai na John Paynter.

Gadawodd hyn oll lawer o surni ynddo, ond cafodd gysur wrth weithio Cwmerfyn a Bryn-llwyd mewn llawn ffydd y trawai ar linyn arian amgenach. Mewn llythyr at ei frawd William (4 Gorffennaf, 1755) adroddodd gymaint fu ei obaith am wneud ei ffortiwn yng Nghwmerfyn, ac oni bai am Ned Hughes, cefnder meddw iddo a oruchwyliai'r gwaith, fe fuasai wedi hen lwyddo; ond roedd ysfa hwnnw am *gwrw llwyd* yn llawer trech na'i allu i weithio. Cyn diwedd y

Gwaith mwyn Cwmsymlog, tua 1890.

mis, ac yntau wedi'i ddal yn Llundain yn amddiffyn ei onestrwydd, cwynai'r Llew eto mewn llythyr dwyieithog (cwbl nodweddiadol o'r Morrisiaid!):

> All well in Cardiganshire, have heard from them yesterday, ond bod Ned Hughes yn feddw felltigedig, ni wna fo na lles iddo'i hun na neb arall; a right son of f[ew]ythr Hu[gh] Pr[ichard] Morris—sucanwr pendenau a hwyaden sychedig, blerwm boliog a glafoeriwr chwydlyd, ffei, ffei, Iorwerth, yn meddwi yn lle agor *shaffts* yr hen *Roman Rake* lle mae digon o fwyn plwm ac arian. I cannot help being surprised at the odd taste of that man who understands things very well; that after I had given him orders to open an ancient rake in the mine three months ago, and the command of any money wanted for that purpose, that he had not the curiosity to do it yet, though I desired it. Perhaps there may be immense riches there. Who would not have looked into a chest where it is thought there is a hundred thousand pound? Wele, wele, gwell gan Iorwerth gwrw llwyd a lol mwynwyr meddw na'r cwbl i gyd.

Wedi iddo golli swydd fras y Trysorlys trodd Lewis Morris ati i'w ddifyrru'i hun drwy weithio Cwmerfyn a Llechwedd-hen, trin ei ardd ym Mhenbryn a dilyn ei ddiddordebau llenyddol. Er cymaint yr anfri a fwriwyd arno gan rai o wŷr mawr sir Aberteifi, eto roedd yn ddigon parchus yn ei flynyddoedd olaf iddo gael ei wneud yn fwrgais tref Aberystwyth, a'r flwyddyn ddilynol yn un o Ustusiaid y sir. Bu farw yn 64 mlwydd oed ar 11 Ebrill 1765 a chladdwyd ef o dan gangell eglwys hynafol Llanbadarn Fawr.

Cafwyd llawer o fentro ac nid ychydig o golledion ariannol yng ngweithiau'r plwy o ddyddiau Lewis Morris hyd ddiwedd y ganrif. Roedd y cloddio cyson a fu yn ystod dwy ganrif wedi dihysbyddu llawer gwythïen gyfoethog, a phan dorrodd y rhyfel rhwng Prydain a Ffrainc ym 1793 collwyd marchnadoedd tramor a gostyngodd prisiau mwynau fel nad oedd yn talu'r ffordd i gadw rhai gweithiau'n agored. Eto, er gwaethaf pob trai yn y fasnach, llwyddodd teulu Gogerddan i sicrhau safon o foethusrwydd sylweddol wrth osod y Darren a Chwmsymlog ar brydlesoedd a warantai freindal da. Er enghraifft, rhwng 1751 a 1771 derbyniodd y Prysiaid £11,500 o Gwmsymlog yn unig er bod lle cryf i gredu fod dwy ran o dair o'r gwaith ar dir y Goron!

Ym 1771 cymerwyd prydles ar Gwmsymlog (yn cynnwys Blaen-cwmsymlog) gan James Townsend o Abertawe, a John Smith, a chyflogwyd Thomas Bonsall yn oruchwyliwr. Brodor o Bakewell yn sir Derby oedd Bonsall ac roedd iddo'r gair o fod yn beiriannydd da iawn, ond fel pawb a ddaeth yma o'i flaen, casglu ffortiwn iddo'i hun oedd ei nod yntau. Fe'i cyhuddwyd gan John Pierce, asiant Gogerddan, o gam-drin y gwaith drwy fynnu llenwi cilfachau o dan ddaear â sbwriel yn lle ei godi i'r wyneb i'r hulog. Dadleuai yntau mai trachwant y landlordiaid yn hawlio breindal o'r seithfed ran o'r elw oedd gwreiddyn y drwg, am nad oedd hynny'n gadael iddo ddigon o elw wrth gefn i brynu peiriannau newydd i ddatblygu'r gwaith. Er hynny adnewyddwyd ei brydles ym 1787 a daliodd ati am bedair blynedd pan adfeddiannodd Pierce y gwaith ar ran Gogerddan. Ond haws yw beirniadu na gwneud; ymhen dwy flynedd, oherwydd diffyg cyfalaf a marchnad wael, bu'n rhaid cau Cwmsymlog, ac ynghau y bu am gyfnod o ddeng mlynedd.

Ym 1801 disgynnodd yno un o'r gwŷr mwyaf lliwgar-amheus a gerddodd Stryd Fawr Aberystwyth! Bu Job Sheldon yn faer y dre o leiaf ddwsin o weithiau rhwng 1804 a 1833, ond yn y flwyddyn olaf yma daeth un o Gomisiynwyr Llywodraeth Leol heibio ac o chwilio'r drefn oedd ar bethau fe fwriodd amheuon ac ensyniadau trwm ar ei onestrwydd wrth drafod buddiannau'r dref. Boed a fo am hynny, roedd yn ôl pob hanes yn feistr hael a dyngarol i'r mwynwyr pan oedd y farchnad blwm yn salw ac yn arbennig felly yn ystod blynyddoedd y rhyfel yn erbyn Napoleon pan oedd hi'n wasgfa drom ar y tlawd. Ym 1813 cyflogai 300 o weithwyr yng Nghwmsymlog, ac roedd Sheldon yn ddigon ffyddiog i osod rhod newydd gwerth £1,300 yno a daliodd ati hyd 1824 pan ildiodd ei le i deulu enwog Williams a ddaeth yma o Gwennap yng Nghernyw i weithio Cwmsymlog a'r Darren. Prin ddeng mlynedd y buont yn ymlafnio cyn danto'n llwyr.

Symud o waith i waith a wnâi llawer o'r mwynwyr i chwilio am eu cynhaliaeth. I fewnfudwyr o Gernyw neu Ogledd Lloegr rhwydda peth oedd iddynt godi'u paciau i barthau eraill o Brydain, ond roedd hi'n anos o lawer i'r brodorion uniaith Gymraeg oedd yn byw mewn cymdeithas glòs—ac yn arbennig felly os oedd arnynt gyfrifoldebau teuluol. Mewn cyfnodau o ddiweithdra, byw ar eu cythlwng fel llygod eglwys oedd eu tynged, a'u hunig obaith yn aml oedd cymryd trwydded (*tack-note*) gan berchen y gwaith—y meistr tir fel rheol—i chwilio'r hulogydd am sborion o blwm ac arian a daflwyd o'r fflowrin i'w werthu i fasnachwr mwyn. Ym 1825, er enghraifft, cymerwyd 14 o'r trwyddedau hyn ar stad Gogerddan yn unig.

Eithriad mawr oedd cloddio arian neu blwm neu gopr pur. Fel rheol gorweddai'n haenau neu'n wythiennau yn y graig ac wedi torri honno fe gludid y cerrig i'r fflowrin. Yno tywelltid y llwyth o gerrig ar y *shaker* (math o ridell ysgytwol) lle cyflogid gwragedd a phlant i ddethol y cerrig di-fwyn i'w taflu i'r domen er mwyn lleihau gwaith y malwr neu'r 'mochyn' fel y gelwid y peiriant nad oedd digoni arno. Gan mai dull amrwd iawn o ddidoli oedd hwn, fe fwriwyd llawer o gerrig mwyn da i'r domen a hynny a roddai fodd i fyw i lawer o'r di-waith. Wrth gael ei holi ynglŷn â Blaen-cwmsymlog ym Mehefin 1863 (*Casgl. Gogerddan*) atebodd Elizabeth Williams iddi hi, pan nad oedd ond yn hogen fach ddeg oed, fod yn golchi'r mwyn a gloddiwyd gan ei thad a'i brawd!

Hwyrach mai'r peiriannydd mwyaf dawnus a fu'n gweithio yn yr ardaloedd hyn oedd John Taylor o Gernyw a ddaeth yma ym 1839 gyda Chwmni Williams. Yn y man ffurfiodd ef a'i ddau fab gwmni newydd a ddaeth gydag amser yn un o gwmnïau mwyn pwysicaf y ganrif ym Mhrydain ac yna, yn y ganrif hon, yn yr Affrig. Yn dilyn y llwyddiant a gafodd yng Ngoginan fe drodd ei sylw i Gwmsymlog a'r Darren ym 1840 ond er dirfawr siom iddo fe gollodd £14,000 cyn rhoi'r gorau iddi. Erbyn 1850 fodd bynnag, roedd Matthew Francis o Gernyw, gŵr a wnaeth enw iddo'i hun yng Ngoginan a'r cyffiniau, yn frwd dros gymryd prydles ar Gwmsymlog, a hynny, mae'n debyg a fu'r sbardun a ailgyneuodd ddiddordeb John Taylor yn y gwaith. Mesur ei lwyddiant y tro hwn oedd iddo dalu yn agos i £8,000 o frein-dal i goffrau Gogerddan yn ystod y ddwy flynedd gyntaf.

Ffurfiodd *The East Darren Mining Company* i weithio Cwmsymlog a'r Darren, a bellach adwaenid gwaith y Cwm fel yr *East Darren.* 'Doedd dim anhawster denu buddsoddwyr, a chyhoeddwyd yn y *Mining Journal* ym 1850 na fu'r fath obeithion am Gwmsymlog ers canrif a mwy. O ganlyniad profwyd mewnlifiad cryf o fwynwyr o Gernyw, Fflint, a gogledd Lloegr a gafodd gryn effaith ar y gym-deithas leol na phrofwyd mo'i thebyg hyd y blynyddoedd rhwng 1960 a 1990. I'r neb a ymddiddorai yn y farchnad roedd yr enw Cwmsymlog yn gyfystyr â gwlad hud, fel nad rhyfedd pan glywid eco llwyddiant yn y gwynt fod yna duedd mewn buddsoddwyr i fentro fwyfwy. Felly'r tro hwn; mewn tair blynedd (1852-5) cododd gwerth siariau yn y Cwmni o £28 i £105!

Gwŷr â'u traed ar y ddaear oedd John Taylor a'i feibion, â'u bryd nid yn unig ar wneud elw mawr ond, yn fwy nag odid neb arall o'u tebyg, roeddynt yr un mor selog o blaid sicrhau'r cyfleusterau cynhaliol

Gwaith mwyn Cwmerfyn, tua 1890.

megis cyflwr y ffyrdd, diogelwch eu gweithwyr, a.y.b. Gan ei fod yn beiriannydd dawnus llwyddodd John Taylor i gloddio'n ddyfnach nag odid neb arall ac wrth hynny daro ar wythiennau newydd. Erbyn 1868, fodd bynnag, anaml iawn y clywai mwynwyr y Tayloriaid gnoc coblynnod ac er cymaint eu dawn a'u deall ni allai meibion J.T. hidlo arian o greigiau moel. Ym 1880 cwynodd un ohonynt wrth asiant Gogerddan, John Graham Williams, ei fod wedi gwario £700 o'i boced ei hun i gadw Cwmsymlog ar agor ond pa obaith oedd ganddo i lwyddo pan oedd Syr Pryse Pryse yn hawlio £300 o'r cyfryw fel breindal? Ond nid ildiai sgwïer Gogerddan ddim, ac am fod y cyfranddalwyr hefyd yn crochlefain am well llogau bu'n rhaid i gwmni'r *East Darren Mines* fynd yn fethdalwyr ym 1882. Yn y gwraidd roedd hi bellach yn amlwg fod y trysor a wirionodd genedlaethau o ddynion trachwantus bellach ar ddarfod. Cododd meibion J.T. eu paciau a throi eu cefn ar y Cwm, ond dal i ddenu'r mentrus ffôl a wnaeth y lle er hynny.

Gŵr yn drwm gan arian oedd James Theobald, A.S., a ddilynodd Taylor ym 1889. Neilltuodd £4,850 i'w wario ar beiriannau'n unig ac er iddo gael peth llwyddiant yn ystod y saith mlynedd dilynol, pan godwyd 1,200 tunnell o blwm, erbyn 1897 roedd yr hwch wedi mynd drwy'i siop yntau a bu'r gwaith ar gau am ddwy flynedd. Gwnaed ymgais bellach i'w ailagor ond pitw iawn fu'r wobr, ac ym 1901 darfu'n derfynol ar un o weithiau plwm ac arian enwocaf Prydain. Amcangyfrifwyd bod 24,460 tunnell o fwyn yn cynnwys 415,850 owns o arian wedi'u cloddio yng Nghwmsymlog rhwng 1845 a diwedd y ganrif, a bwriwyd bod hynny'n gyfwerth â thros chwe miliwn o'n harian ni—hynny, cofier, heb gyfrif y cyfoeth difesur a godwyd yno yn y tair canrif flaenorol.

Gwelsom eisoes fod gwaith Cwmerfyn yn un o'r rhai hynaf yn y sir, ac yn ôl Lewis Morris yn un o'r cyfoethocaf. Erbyn 1795, fodd bynnag, cychwynnodd ar gyfnod diffaith ac am y pymtheng mlynedd dilynol bu'n dawel yno. Yn ystod 40au'r ganrif ddilynol roedd nifer o fwynwyr o Gernyw wedi ymsefydlu ym mhentre'r Druid yng Ngoginan, ac yn eu plith ddau gefnder, Absalom a Matthew Henry Francis, a oedd i chwarae rhan bwysig iawn yn hanes y diwydiant yn yr ardaloedd hyn. Yn lled fuan wedi cyrraedd Goginan roedd y ddau beiriannydd hyn yn gyfrifol am gynifer â deunaw o weithiau yn cynnwys y Bwlch, Cwm Darren, Cwmsebon, Darren, Pen-cefn,

Bryn-llwyd, Llety-Ifan-hen, a Chwmerfyn. Nid oeddynt gystal peirianwyr â John Taylor a phan redwyd i drafferthion yng Nghwmerfyn bu'n dda iddynt wrth gyngor 'y meistr'. Bu'r 40au a'r 50au yn gyfnod pur lewyrchus yn y gweithiau ac ym 1862 trawyd ar wythïen gyfoethog newydd. Ymhen blwyddyn roedd 110 o ddynion yn gweithio o dan ddaear yng Nghwmerfyn yn unig. Tymor o lwyddiant byr a gafwyd er hynny oherwydd erbyn 1877 daeth diwedd ar gyhoeddi faint o fwyn a gloddiwyd yno'n flynyddol. Yn ôl yr adroddiadau a gyhoeddwyd rhwng 1849 a 1877 sicrhawyd 9,918 tunnell o blwm ac yn agos 200,000 owns o arian. Gwendid y teulu Francis oedd eu gor-awydd i rannu'r elw cyfan heb gadw'n ôl wrth gefn gyfran at ddatblygu'r gwaith. Ym 1975 darganfu David Bick ar ganol cae fferm Cwmerfyn ar lawr y cwm, geg y lefel a agorwyd gan Thomas Bushell tua 1638 i dynnu dŵr o waith Cwmerfyn!

Erbyn canol y ganrif roedd hi wedi mynd yn anodd denu cyfalaf digonol i chwilio am bocedi newydd o fwyn ac roedd gormod o frys ar y perchnogion i gasglu cyfoeth. Ym 1846 llygad-dynnwyd gŵr cyfoethog iawn o'r enw John Horridge i gymryd Cwmsebon (*South Darren* i'r mewnfudwyr) a safai yn is i lawr y cwm na fferm Ty'n-gwndwn. Gwariodd yntau £10,000 ar beiriannau newydd yn cynnwys rhod 60 troedfedd—y fwyaf o ddigon a godwyd yn y sir—er mwyn codi dŵr o'r gwaith. Daeth y llwyddiant a gafodd â chenfigen i'w ganlyn. Roedd y gwaith yn ffinio ar dir y Darren a oedd yn eiddo Gogerddan, a thir Evan Pugh, Cwmisaf. Yn gam neu'n gymwys dechreuodd Pugh amau fod Horridge yn cloddio o dan ei dir ef. Aeth yn gyfraith rhyngddynt ac er na wyddys beth oedd y dyfarniad terfynol ni wnaeth les yn y byd i Horridge oherwydd erbyn 1847 aeth yntau'n fethdalwr a gwerthwyd Cwmsebon i Absalom Francis a John James Atwood, cyfreithiwr o Aberystwyth, am £3,200. Hanes digon brith fu i'r gwaith am rai blynyddoedd wedyn; er i Absalom Francis addo elw o £300 y mis, eto hel dyledion fu ei gamp pennaf yma. Oherwydd esgeulustod pur, chwalodd y rhod fawr ar 9 Hydref 1852. Aildrefnwyd y Cwmni ym 1876 gyda chyfalaf o £9,000 a wariwyd, lawer ohono, i adnewyddu'r rhod, codi fflowrin newydd a sicrhau pwmp ager i hwyluso draenio'r gwaith. Cafwyd peth llwyddiant rhwng 1878 a 1885 pan werthwyd dros 300 tunnell o blwm a chopr yn flynyddol ond erbyn 1893, yn rhannol oherwydd cyflwr y farchnad, roedd y rhod wedi peidio â throi a phrysgwydd a mieri yn dechrau cuddio'r llechwedd. Amcangyfrifwyd bod 9,248 tunnell o blwm, 173,527 owns o arian, a 2,882 tunnell o gopr wedi'u cloddio yng Nghwmsebon rhwng 1845 a'r dydd olaf.

Ni wyddom pryd yn union yr agorwyd gwaith Pen-cefn yn Nhirymynach. Fe all mai mynachod Ystrad-fflur fu'r cyntaf i gloddio yno oherwydd mor gynnar â 1695 roedd yno waith digon addawol i ddenu Thomas Rounsivall o Padstow yng Nghernyw i gymryd prydles 21 mlynedd ar waith Cefen-tir-y-mynach. Erbyn 1842 roedd amryw o gwmnïau amrywiol wedi gwario yn hytrach nag ennill ffortiynau yno ond rhaid cofio mai yma, yn ôl David Bick, y cafwyd y cyfartaledd mwyaf o arian yng ngogledd Ceredigion yn ystod y ganrif ddiwethaf. Y ddau gefnder, Absalom a Matthew Francis, a fu'n bennaf gyfrifol am ddenu buddsoddwyr yma hefyd, ond llosgi'u bysedd yn hytrach na chasglu ffortiwn fu rhan y mwyafrif. Gwariwyd yn drwm ar beiriannau ym 1845/6 a ffurfiwyd *'The Court Grange Silver Lead Mines Company'* ym 1849 ond ysbeidiol iawn fu'r llwyddiant a gafwyd, ac ym 1873 cymerwyd y gwaith gan James G. Green, perchen y ffowndri yn Aberystwyth. Digon dilewyrch fu pob ymgais ganddo yntau i gadw'r gwaith ar agor ac ym 1882 daeth y diwedd anorfod.

Agorodd Matthew Francis waith ar fferm Llety-Ifan-hen tua'r flwyddyn 1840 ond fe'i cydiwyd wrth waith Pen-cefn a Mynydd-gorddu ymhen naw mlynedd.

Ni fu nemor ddim cyffro yng ngwaith Bryn-llwyd neu Lechwedd-hen neu Glan'rafon (fel bo'ch dewis) ar ôl dyddiau Lewis Morris hyd oni chymerodd Matthew Francis ato ym 1850, ond er iddo ef beri gwario llawer ar beiriannau (e.e. ym 1856 prynodd rod haearn ail-law 40 troedfedd gwerth £100 o Iwerddon) llwyddiant cymedrol iawn ddaeth i'w ran. Yn ôl pob hanes roedd yno argoelion da ond bu'n rhaid aros hyd 1859 cyn i'r cyfarwyddwr, J. B. Balcombe, gyhoeddi elw o 30%! Gan faint y gobeithion a godwyd suddwyd trydedd a phedwaredd siafft. Ym 1871 o dan gyfarwyddyd blaengar Thomas Kemp gosodwyd dau beiriant ager yn y ddwy siafft newydd, ac er mwyn osgoi rhiwiau Glan'rafon a Phen-gaer fe godwyd *Hodgson's Patent Tramway* fel y gellid cludo basgedi o blwm ar raffau crog i'w llwytho ar y ffordd i Gapel Dewi. Er hyn, beirniadwyd Balcombe a Kemp yn ddeifiol yn y *Mining Journal* am wario gwastrafflyd a di-fudd.

Ym 1877 ffurfiwyd Cwmni newydd—*The New Bronfloyd Co.*—

gyda chyfalaf o £30,000, ond yn fuan disgynnodd pris plwm ar y farchnad a chaewyd y gwaith am ddwy flynedd o 1890. Ar droad y ganrif prynwyd Bryn-llwyd gan Peter Jones, Aberystwyth, ond llusgo byw fu hen waith Lewis Morris hyd ddiwedd y Rhyfel Byd Cyntaf.

Wrth gerdded ar Ben-gaer un pnawn heulog yn nechrau haf 1925 ar ein ffordd o ysgol Trefeurig ychydig a freuddwydiodd y tri ohonom ein bod yn dystion i'r chwalfa olaf a diwedd cyfnod. Yno ar y ffordd ar gopa'r rhiw o'r Penrhyn roedd anferth o wagen geffylau yn disgwyl llwyth o fetal sgrap a lusgwyd yno gan griw o sipsiwn o hen waith Llechwedd-hen! Aeth y rhod fawr ffordd yr holl ddaear!

Un o ofynion pennaf pob gwaith mwyn yn y dyddiau gynt oedd ffrwd o ddŵr digonol i droi'r rhod anhepgor. Ar gyfnodau o sychder gallai hyn greu cryn broblem hyd yn oed os safai'r gwaith ar lan un o'r mân nentydd a godai ar lechweddau gwlyb Pumlumon. Yng Nghwmsebon rhedodd John Horridge i'r union drafferth pan drawodd ar wythïen gyfoethog o fwyn ym 1842. Un peth oedd cronni llyn bach ar draws y ffordd o Dy'n-gwndwn i olchi'r mwyn yn y fflowrin, peth arall oedd sicrhau digon o gwymp dŵr i droi'r rhod. Roedd John Taylor eisoes wedi llwyddo i ddatrys y broblem tua Phont-rhyd-y-groes drwy agor camlesi. Gwelodd Horridge fanteision y cynllun ac aeth ati i'w efelychu drwy agor ffos gyda goledd gyson o Graig y Pistyll heibio blaendrwyn Llety-Ifan-hen a Blaencastell drwodd i Gwmsymlog ac ymlaen i Gerrig yr Ŵyn cyn troi fel pedol i Gwmerfyn ac yna i lawr y dyffryn drwy Gwmsebon a Chwm Darren a chyn belled â Llechwedd-hen. Os craffwch ar y darnau llechweddau lle nad oes bellach goed fe ellwch weld amlinell y ffos nodedig hon, ac yn arbennig felly yn y cae y tu hwnt i'r clawdd o'r ffordd sy'n arwain o Gwm Canol i gopa'r rhiw sy'n disgyn i Ben-bont. Dyma'n ddiamau un o'r campau peirianyddol mwyaf llwyddiannus yn ardal y gweithiau hyn.

Torrwyd estyniad o'r ffos yn niwedd y 40au o Lyn Conach heibio Camdwr Bach a Bwlchystyllen i'w cysylltu yng Nghraig y Pistyll. Ym 1851 ceisiodd Matthew Francis, heb hawl yn y byd, fylchu'r ffos er mwyn sicrhau dŵr i Ben-cefn, ond nid gŵr i'w anwybyddu oedd John Taylor. Diwedd yr ymrafael fu cymrodedd rhwng y ddau yn ogystal â'r ddau feistr tir, yr Arglwydd Lisburne a Pryse Loveden, Gogerddan!

Llynnoedd a gronnwyd i gyflenwi dŵr i'r gweithiau yw Melindwr, Pen-dam, Syfydrin, Craig y Pistyll (a godwyd gan Gwmni John

Taylor ym 1880), a Phen-cefn, yn ogystal â'r un llawer llai a gronnwyd ar draws y ffordd o Dy'n-gwndwn.

Dyna'n fras iawn stori fawr yr unig ddiwydiant sylweddol a fu ar gyfyl plwy Trefeurig. Chwarae gwyddbwyll fu hi dros ganrifoedd lawer a'r mwynwyr gwerinol yn ebyrth rhy barod i ysfa drachwantus buddsoddwyr. Pan ddarfu am y gweithiau fe'u gadawyd i ymlwybro orau y gallent yng nghanol tomenni o sbwriel llychlyd, siafftydd agored a nentydd dibysgod! Bellach chwalwyd llawer o'r hulogydd a cheisiwyd claddu'r sbwriel. Y trueni yw na nodwyd rhai o'r olion pwysicaf fel y gallo pob plentyn yn y plwy—a'u rhieni—ddysgu rhywbeth am hanes rhan o'u hetifeddiaeth.

Pen-bont Rhydybeddau, 1990.

PENCAWNA

Pan fydda i'n crwydro'r gweundir rhwng Syfydrin a Ffos-fudr, neu'n croesi o lynnoedd Pen-dam a Melindwr i Bonterwyd, mi fydda i'n ddi-feth yn cofio hen wragedd fy machgendod cynnar yn adrodd fel yr arferai gwragedd a phlant gynt gerdded yno'n finteioedd o'r pentrefi cyfagos ar hirddydd haf i wlana ac i gasglu brwyn bras neu gawn er mwyn nyddu'r naill yn edafedd i wau sanau, a throi'r llall yn ganhwyllau brwyn i oleuo'r aelwyd dros gyfnosau'r gaeaf. Ar deithiau o'r fath roedd blas ar bob clonc, a'r sgwrsio hamddenol neu'r 'hela wowcs' yn ffordd hapus a difyr o ddirwyn i ben undonedd y dydd. Felly y daeth 'pencawna' (ar lafar) yn gyfystyr â difyrru'r amser yn ysgafn a phleserus mewn cwmni cydnaws gan rannu'r byd â hwn a'r llall. Rhywbeth tebyg a wnawn ninnau wrth bigo hwnt ac yma o bentwr hanes ein doe a'n hechdoe ni o fewn bro Dafydd ap Gwilym. Bu'r Ail Ryfel Byd fel gwahanfur deufyd, ac y mae'r dechnoleg wyrthiol a'i dilynodd wedi troi'r bwthyn gwyngalch â'i fantell simdde a'i ffwrn wal yn gywreinbeth amgueddfaol.

Yn ystod ac wedi'r rhyfel, chwalwyd lluoedd o ystadau a fu dros ganrifoedd lawer yn rheoli economi a chymdeithas cefn gwlad. Daeth ffordd o fyw i ben. Ym 1952, er enghraifft, gwerthwyd ystad Gogerddan i Goleg Prifysgol Cymru, Aberystwyth, i fod yn gartre i'r Fridfa Blanhigion fyd-enwog, a thrwy hynny diflannodd o'r fro deulu a fu'n ddirfawr ei ddylanwad ar bob agwedd o fywyd gogledd Ceredigion am bum can mlynedd. Er bod y Plas yn sefyll o fewn ffiniau Trefeurig, digon araf, ar un olwg, fu'r Prysiaid cyn pwrcasu llawer o ffermydd yn y plwy, a hynny'n bennaf am fod y gobaith o ddarganfod mwynau yn eu tiroedd yn ddigon o gymhelliad i berchnogion mân ystadau eraill yn yr ardal, megis Penyberth, a hyd yn oed ffermydd unigol megis Coedgruffydd a Brogynin-fawr, ddal eu gafael yn dynn yn eu hetifeddiaeth. A'r trueni yw i lawer o ddogfennau cynnar y tiroedd hyn fynd ar goll. I'r hanesydd lleol y mae dogfennau, llyfrau cyfrifon, rholiau rhent a llythyrau, yn ffynonellau gwerthfawr iawn, ac mae felly'n dda inni bod archifau Gogerddan a Thrawsgoed ar gael a chadw yn y Llyfrgell Genedlaethol.

Soniwyd eisoes am y brodorion cyntaf oedd yn byw yn gymunedau bychain o fewn i gaerau Broncastellan, y Darren, a Blaencastell. Yn raddol symudodd y teuluoedd mwyaf mentrus ohonynt o ddiogelwch y gaer i fod yn ffermwyr annibynnol ar y llechweddau islaw. Dim ond tŷ yn gysgod, a darn bychan o dir agored i'w bori a'i aredig oedd y tyddynnod cynnar. Fe welir olion y patrwm hwn o sefydlu cynnar yn y nifer tyddynnod bychain a gaed unwaith ar y llechwedd o gwmpas Fron-deg. Ym mis Ebrill 1861 cymerwyd Broncastellan a Fron-isa ar rent gan David Edwards a John James, a Fron-deg a Ty'nllechwedd (a oedd newydd eu huno) gan David Thomas ar rent o £9.10s. Yn llyfr rhent Gogerddan am 1788 cofnodir derbyn £3 am Glandŵr-uchaf, a £4.15s am Glandŵr-isaf a Tŷ-cam—sy'n profi fod ar un adeg saith o dyddynnod ar y llechwedd sy bellach wedi'u cyfuno yn un fferm, sef Fron-deg, a dau dŷ (bellach) sef y Fron a Glandŵr. Fe welir yr un patrwm sefydlu o gwmpas caerau'r Darren, a Blaencastell.

Ystadau cymharol fach a gaed yn Nyfed a Phowys am ganrifoedd hyd tua chanol y ganrif ddiwethaf, ac yn fynych iawn pan etifeddid un ohonynt gan ferch a briododd fab un o sgwieriaid Lloegr fe sigid hyder cenedlaethol y tenantiaid a oedd gan amlaf yn Gymry uniaith.

Ym 1774 bu farw John Pugh Pryse yn 34 oed ac yn ddibriod. Ef oedd yr olaf o deulu Gogerddan a oedd yn ymwybodol o'i Gymreictod, fel y tystia'r ffaith ei fod yn gyfaill agos i Lewis Morris o Fôn ac yn aelod blaenllaw o gymdeithasau Cymreig Llundain megis y Cymmrodorion a'r Gwyneddigion. Yn ei le daeth Lewis Pryse o Painswick, sir Gaerloyw, a ddilynwyd gan ei ferch Margaret a briododd Edward Loveden Townsend o Buscot Park, Berkshire, gŵr blaengar yn y byd amaethyddol. Roedd Glan'rafon, Ty'n-gelli, a Maesmeurig eisoes yn eiddo'r Prysiaid, ac ym 1787 prynodd Margaret Pryse ffermydd Llwyngronw, Cwmbwa, Darren-fawr a Darren-fach oddi wrth deulu Penpompren, Tal-y-bont, a oedd, fe ymddengys, wedi etifeddu rhan o ystad Penyberth. Un o'r pethau cyntaf a wnaeth oedd codi tŷ (waliau pridd) newydd yn Llwyngronw ar gost o £71.4s.5½c yn ôl cyfrifon yr ystad am 1788.

Erbyn 1861 roedd disgynyddion eraill o deulu Penyberth wedi colli diddordeb yn yr henfro, a phan gawsant gynnig fe brynodd y Prysiaid nifer pellach o ffermydd, sef Penyberth, Tŷ Mawr neu fferm y Penrhyn, a Rhos-goch. Y pryd hyn hefyd prynwyd oddi wrth stad y

Trawsgoed nifer o ffermydd Tirymynach, ac wrth hynny fe gydiodd y Prysiaid eu gafael ymron yn llwyr yn nyffryn Penrhyn-coch.

Un gymwynas sylweddol i haneswyr lleol a wnaeth llawer o sgwieriaid y 18 ganrif oedd cyflogi syrfeiwyr proffesiynol i dynnu mapiau o ffermydd unigol neu o ddarnau o'u stadau sy'n adlewyrchu cyflwr cefn gwlad fel yr oedd bryd hynny. Tynnwyd rhai o diroedd Gloucester Hall a'r Penrhyn ym 1755 a 1787/8 sy, gyda map degwm Llanbadarn Fawr, 1843, yn ddogfennau gwerthfawr.

Weithiau, fe gadwyd enwau rhai tyddynnod diflanedig ar fapiau o'r fath, ond yn rhy fynych o lawer, wedi i garreg yr aelwyd oeri, ni pharhaodd y cof amdani ond fel rhan o lên gwerin cenhedlaeth neu ddwy, ac yn y man collwyd felly ddarn o hanes lleol.

Mae rhai o'r enwau hyn yn llawer mwy pryfoclyd a diddorol na'i gilydd. Yng Nghasgliad Gogerddan, er enghraifft, y mae dwy ddogfen hynod o ddiddorol. Yn y naill, dyddiedig 31 Awst 1593, sonnir i Richard Pryse, Gogerddan werthu i John Watkin, Penyberth, ddau le yn nhrefgordd Trefeurig, sef melin frethyn a thyddyn Ieuan ap Rhydderch—lle'n ddiweddar y cartrefai John ap Ieuan ap Rhydderch (' . . . wherein one John ap Ieuan ap Rhydderch lately dwelled . . . '). Pwy tybed oedd yr Ieuan ap Rhydderch hwn, a lle yn union oedd y tyddyn y rhoes ei enw arno? Fe fyddai'n haws cael o hyd i'r ateb cywir pe gwyddem i sicrwydd faint o amser a guddir gan y gair bach *lately*. 'A pham yr holl ebwch?' gofynnwch. Wel, yn syml iawn, am fod yn byw yn yr ardaloedd hyn tua 1430-70 fe fernir, fardd nodedig o'r enw hwn. Ei dad oedd Rhydderch ab Ieuan Llwyd o Barc Rhydderch yn Nyffryn Aeron, gŵr a ddaliodd swyddi o dan y Goron yng Ngheredigion tua 1387, ac a roes ei enw ar un o'r llawysgrifau Cymraeg pwysicaf a ddiogelwyd, sef Llyfr Gwyn Rhydderch. Fe gysylltid Ieuan â Genau'r-glyn yn ôl rhai llawysgrifau cynnar, ond nid oes gennym y syniad lleiaf ymhle'r oedd ei gartref.

Roedd Ieuan nid yn unig yn fardd dawnus ond ymffrostiodd yn agored yn un o'i gywyddau iddo, yn ei ieuenctid, ddysgu gramadeg a mydr, ei fod yn hyddysg yn y gyfraith, yn llenyddiaeth Gymraeg gynnar ac yn ysgrifeniadau'r Eglwys; dysgodd Ladin, Ffrangeg a Saesneg, roedd yn seryddwr gwybodus ac yn fabolgampwr penigamp. Meddai:

> Od amau neb dim a wnaf,
> Gwir ŷnt, a mi a'u gwrantaf.

Cyn gwneud hyn oll mae'n rhaid ei fod yn fyfyriwr yn un o'r hen brifysgolion—Caergrawnt neu Rydychen. Bernir mai ŵyr i Rydderch ab Ieuan oedd Rhys ap Dafydd Llwyd ap Rhydderch, sylfaenydd teulu'r Prysiaid yng Ngogerddan, a bod y bardd felly'n ewythr iddo.

Dywedwyd eisoes mai yng Ngenau'r-glyn yr oedd cnewyllyn ystad Gogerddan am rai canrifoedd, er bod y Plas ei hun wedi'i leoli dros y ffin yn nhrefgordd Trefeurig a oedd ym mhlwy Llanbadarn Fawr. Tybed, yn yr un modd, a oedd cartref Ieuan ap Rhydderch wedi'i leoli dros y ffin o Enau'r-glyn er mai â'r cwmwd hwnnw y cysylltid ef yn ôl rhai llawysgrifau cynnar?

Yr ail ddogfen o ddiddordeb inni yng Nghasgliad Gogerddan yw'r un sy'n cofnodi i'r John Watkin uchod, ar 13 Mehefin 1597, werthu i Morris Vaughan o Enau'r-glyn, nifer o ffermydd yn Nhrefeurig yn cynnwys Penyberth, Tyddyn y Penrhyn, Tyddyn Ieuan ap Rhydderch, Tyddyn Thomas ap Ieuan *alias* Shopper, Pantyffynnon, Tyddyn Blaen-Cwmerfyn, a dau fwthyn a elwid Lluesty-gelli-goge a Lluest Cors-yr-hwyaid. Ni wn i lle y safai'r ddeule olaf, ond erys (Blaen-) Cwmerfyn a Pantyffynnon hyd heddiw ym mhen ucha'r cwm. O'r clwstwr sy'n weddill saif fferm Penyberth ar y ffordd o'r Penrhyn-isaf i Gefn-llwyd, ond y cyfan sy'n weddill o Dyddyn y Penrhyn yw'r tŷ a elwir heddiw yn Min-y-ffordd ar sgwâr y Penrhyn, a'r tir y codwyd arno ystadau tai Ger-y-llan, Glanstewi, Glanceulan, Cae Mawr, Maes Seilo a'r Garth. Ffald (neu fuarth) yr hen fferm yw safle presennol siop a phympiau petrol Mr C. P. Jenkins. Enwir tri lle yn y ddwy ddogfen na leolwyd mohonynt eto, sef y pandy (*fulling mill*), Tyddyn Thomas ab Ieuan, a Tyddyn Ieuan ap Rhydderch.

Dywedir mai llysenw Thomas ap Ieuan oedd *Shopper*—sef *y siopwr.* Ni wyddom pa mor hen yw'r siop/llythyrdy a saif ar sgwâr y Penrhyn ond yn ôl traddodiad lleol y mae'n un o adeiladau hynaf y fro. Hyd ddechrau'r ganrif hon, roedd yno hefyd dafarn—*The Farmers' Arms*—yng nghefn y siop, ac uwchben stafell helaeth a elwid yn 'llofft y Clwb'. Mae'r ffaith ei bod yn sefyll ar groesffordd Sarn Helen a'r ffordd o Aberystwyth i'r gweithiau mwyn yn awgrymu'n gryf ei bod yn safle delfrydol i siop a thafarn. At hynny roedd hefyd yn fferm fechan. Rwyf am awgrymu mai dyma dyddyn 'Thomas ab Ieuan *alias* Shopper'.

Y mae ynghadw yn y Llyfrgell Genedlaethol fap o'r Penrhyn a dynnwyd ym mis Mai 1755, a'r enw a roddir ar y tir sy'n gorwedd

Penrhyn-isaf, 1948.

rhwng y sgwâr a Gloucester Hall—lle y saif ystad dai Nantseilo—yw 'Cae Pandy'. Dyma'n ddi-os safle'r felin (*the fulling mill)* a werthodd Richard Pryse ym 1593. Mewn dogfen (D.D.117), 30 Mawrth 1657, a gedwir yng nghasgliad Coleman (LL.G.C.) sonnir am 'the capital messuage called *Penyberth;* two messuages respectively called *Tythin y penrhin* and *Tythin y pandy* together with one fulling mill belonging thereto . . . ' sy hefyd yn awgrymu eu bod yn ffinio â'i gilydd.

Ond beth a ddywedwn am Dyddyn Ieuan ap Rhydderch?

I genedlaethau o ardalwyr, Gloucester Hall oedd enw'r tŷ a elwir bellach yn Plas Gwyn—enw sy'n anhraethol fwy cydnaws â'r fro a oedd yn gwbl Gymraeg ei henwau lleoedd. Ym 1961, gyda llaw, y newidiwyd yr enw. Un peth sy'n bur sicr, nad Gloucester Hall oedd yr enw gwreiddiol ar y tyddyn hwn, er bod yr enw hwnnw'n mynd 'nôl i 1755 ac efallai cyn hynny. Roedd cangen o deulu Gogerddan yn byw yn Painswick, sir Gaerloyw, yr adeg hon, a hwyrach, felly, mai un ohonynt hwy fu'n gyfrifol am y newid.

Yr oedd y tiroedd a enwyd uchod sef Penyberth, Tyddyn Thomas ap Ieuan, Tyddyn y Penrhyn a'r Pandy, yn ffinio â'i gilydd, ac rwyf am awgrymu'n awr fod Tyddyn Ieuan ap Rhydderch hefyd yn perthyn i'r un rhandir ac mai dyma'r enw a ddisodlwyd gan Gloucester Hall. Y mae rheswm da dros dybio hyn. Fel gwarant nad tyddyn cyffredin mo hwn, y mae map 1755 yn nodi lawnt bowlio *(bowling meadow)* ar y cae bach wedi ichi groesi'r bont. Dechreuwyd chwarae bowlio—digon elfennol ar y cychwyn—gan sgwieriaid yn Lloegr mor gynnar â'r 13 ganrif, ac erbyn dechrau'r 16 ganrif sonia'r mathemategydd o Gymro, Robert Recorde (bu farw 1558), fod y peli bellach yn cario pwysau er mwyn eu gwyro, fel bod mwy o gystadleuaeth i'r chwarae. Roedd y tyddyn hwn felly yn ddi-ddadl yn gartre i un o uchelwyr yr ardal ym 1755, a chan ei fod yn eiddo Richard Pryse ym 1593 rhesymol yw barnu mai un o deulu Gogerddan oedd yn arfer cartrefu yno. O gofio fod Ieuan ap Rhydderch yn gallu ymffrostio yn ei ddoniau fel athletwr, digon naturiol fyddai iddo gael maes bowlio wrth ei dŷ!

Mae'n wir na ellir bod yn gwbl sicr mai'r un un oedd y bardd â'r Ieuan ap Rhydderch a roddodd ei enw i'r tyddyn, ac ni wyddom a oedd ganddo fab o'r enw Siôn na phryd y bu hwnnw byw. Rhywdro efallai y daw tystiolaeth bendant i law, ond hyd hynny mi barhaf i gyfarch gwell wrth fynd heibio i Blas Gwyn *alias* Gloucester Hall *alias* Tyddyn Ieuan ap Rhydderch!

Y mae olrhain ystyron enwau lleoedd yn ddifyrrwch mawr, ond yn astudiaeth sy'n gors o beryglon oni ellir dod o hyd i'r gwreiddyn, fel y dengys yr enghraifft syml hon.

Ar dir Gloucester Hall y codwyd y rhes dai a alwyd yn eu tro yn Gloucester Cottages, Gogerddan Cottages, a'r Bungalows a adeiladwyd ar gyfer gweithwyr y plas. Codwyd y cyntaf ohonynt, a elwir heddiw yn Court Villa, rywdro cyn 1841. Mae'n dŷ cerrig deniadol ei bensaernïaeth allanol gyda ffenestri bwaog a chwareli bychain. Yn ôl cyfrifiadau 1841, 1851 a 1871 fe'i gelwid yn Cwrtyfansi, ond erbyn 1881 aeth yn *Court-by-fancy,* yr enw a geir hefyd ar garreg fedd Morgan Hughes (garddwr Gogerddan) a fu farw 6 Mai 1872 ac a gladdwyd gerllaw'r mynediad i fynwent Horeb. Mewn sgwrs â'r awdur ym 1937 adroddodd Syr Lewis T. Loveden Pryse mai'r traddodiad teuluaidd oedd i ymwelydd o heliwr sylwi ar y tŷ pan oedd ar fin ei orffen, a phan ddychwelodd i'r Plas gofynnodd yn frwdfrydig, 'What are you going to call that house up the road? It quite caught my fancy'. Felly, meddai Syr Lewis, fel *'caught my fancy'* y cyfeirid ato gan deulu'r Plas. I Gymry uniaith aeth *'caught'* ar lafar yn *court,* a *'my fancy'* yn *by fancy,* a maes o law dyrchafwyd y tŷ yn Court Villa!

Bydd o ddiddordeb i rai wybod mai *Royal Oak* oedd yr enw gwreiddiol ar Glynderi a saif ger y rhyd yn Afon Peithyll ar y ffordd i Ffynnon Garadog. Teyrngarwch Lewis Pryse i blaid y Jacobitiaid yn y 18 ganrif a fu'n gyfrifol am enw'r tŷ a fu'n gartre i brif-giperiaid y Plas am ganrifoedd. Pan symudodd y Fridfa Blanhigion o Aberystwyth i Gogerddan y Cymreigiwyd yr enw.

Erbyn canol y ganrif ddiwethaf roedd galw am dai i'r mwynwyr ar gynnydd, a rhwng 1839 a 1865 fe godwyd nifer o fân bentrefi yn yr ardal yn ogystal â helaethu'r Penrhyn-isaf a Phenrhyn-canol (a alwyd yn Penrhyn-uchaf ar fap 1788). Newydd ei rannu'n gyfres o gaeau roedd y Cae Mawr ym 1755, ac o hynny ymlaen fe welwyd tyfiant cyson.

Fe wyddom i Enos Williams godi efail ar gyffordd y Sgwâr yn gynnar yn y ganrif ac er mwyn sicrhau'r olyniaeth i'w fab John fe gymerodd y ddau brydles newydd ym 1859. Eithr byr fu'r bartneriaeth gan i Enos farw o fewn blwyddyn, a'i fab ymhen chwe blynedd (24 Ebrill 1866) yn 39 oed. Codwyd nifer o dai rhwng y *Farmers' Arms* a'r rhyd yn Afon Seilo rhwng 1839 a 1841, ac ym 1844 adeiladwyd pedwar rhwng yr efail a'r gyffordd. Nid erys bellach

Court Villa.

ond un gwag y peidiodd y mwg o'i simdde ym 1987.

Perthyn i fferm Rhos-goch yr oedd cae Penrhiw-lwyd lle, rhwng 1851 a 1871, y codwyd pentref o ddwsin o dai a alwyd yn Cefn-llwyd, a oedd mewn man cyfleus i fwynwyr a weithiai ym Mronfloyd.

Roedd eisoes bedwar o dai yn dwyn yr enw Tanyfynwent ar fin y ffordd lle'n awr y saif festri Capel Horeb, ac ar draws y ffordd uwchlaw'r capel, yn fuan wedi 1841, adeiladwyd Bryntirion a gynhwysai wyth o dai. Y mae Cyfrifiad 1841 yn cofnodi lle o'r enw Garth-goch sy'n awgrymu mai dyma'r cyntaf o ddwy res yn cynnwys 16 o dai a alwyd yn Garth-uchaf a Garth-isaf.

Y mae'n werth nodi mai tai cerrig a gaed fynychaf ym mhentrefi pen ucha'r plwy megis Cwmsymlog, Cwmerfyn, Pen-bont, y Darren, Pen-rhiw a Salem, a hynny am fod cyflenwad digonol o gerrig i'w gael ar y mynydd yn ogystal ag ar y tomenni sbwriel o gwmpas y gweithiau. Nid felly oedd hi ar lawr gwlad, a rhaid felly oedd dibynnu ar y defnydd agosaf at law, sef pridd! Y diwydiant a gyflogai fwyaf o ddynion a gwragedd yn y plwy am ganrifoedd oedd cloddio am blwm ac arian a chan nad oedd trafnidiaeth gyhoeddus roedd yn naturiol i'r pentrefi cyntaf gael eu hadeiladu mor agos i'r gweithiau ag oedd bosib. At ei gilydd roeddynt yn dai deulawr, cadarnach o lawer na'r bythynnod gwyngalch a gaed ar lawr gwlad.

I ddechrau, roedd yn rhaid wrth ddarn o dir i adeiladu arno, a chan nad oedd modd ei brynu roedd yn ofynnol ei sicrhau ar brydles dros gyfnod o flynyddoedd. Felly, er enghraifft, ar 13 Medi 1852, cymerodd John Jones, mwynwr 39 oed, brydles 66 mlynedd ar ddarn o dir, 41 x 92 troedfedd (12.30m x 27.60m) ar gae Llain-ucha (sef y Garth) ar rent blynyddol o £1, yn ogystal â threth o ddwy iâr ac 20 o wyau neu 2s.6c (12½cn), ar yr amod ei fod yn adeiladu arno fwthyn unllawr o fewn dwy flynedd. Roedd hyn yn gryn fenter i benteulu nad enillai fwy, ar gyfartaledd, na £3 y mis fel meinar a llai fel gwas fferm.

Tai unffurf oedd y bythynnod hyn: tair ystafell yn cynnwys cegin/ystafell fyw gyda lle tân, a ffwrn wal ar wahân ar gyfer pobi bara, ac ati; ystafell wely yn y pen isaf (neu'r parlwr); ac yn y cefn ystafell hirgul a elwid yr eil a rennid yn ddau yn ôl y gofyn ar gyfer bwtri (*buttery)* i gadw bwyd a dŵr glân, a lle i godi gwely ychwanegol. Yn fynych iawn gosodwyd hanner llofft agored dros y pen isaf gydag ysgol symudol i'r plant (fel rheol) gael mynd a dod i'w gwelyau. Erbyn ail hanner y ganrif daeth tai deulawr yn fwy cyffredin.

Prin iawn oedd y mwynwyr a'r gweision fferm a allai dalu crefftwyr i godi tŷ iddynt ar wahân i osod y to, y drysau, ffenestri a'r lle tân/simdde. Mater o gywaith oedd hi fynychaf i godi'r waliau allanol a'r parwydydd, gyda dau neu dri phenteulu a'u cyfeillion yn mynd ati i gasglu'r pridd a'i baratoi drwy ei wlychu'n dda a'i gymysgu â gwellt a rhawn ceffyl a oedd yn glymwr effeithiol. Roedd yn ofynnol i'r seiliau a llathen gynta'r waliau fod o gerrig ac yna codid y waliau allanol hyd at lathen o led o fewn ffrâm o ystyllod. Yn haenau felly y byddid yn codi dau neu dri thŷ ar y cyd. Plethiad o wiail llarwydden *(larch)* wedi'i phlastro â'r priddwlyb oedd y parwydydd neu'r palisau. Y saer a'r masiwn lleol oedd yn gyfrifol am weddill y gwaith. I'r ffwrn wal, y lle tân a'r simdde yn unig y defnyddid brics. Coed llarwydd wedi'u rhisglo ac efallai eu bras naddu oedd coed y to, a llechi cerrig o chwareli lleol wedi'u hoelio wrth y dellt â phegiau derw oedd y to. Er bod ffenestr ym mhob stafell—ac weithiau yn y to—un diffyg sylfaenol oedd na ellid mo'u hagor ac o ganlyniad fe gafwyd llawer iawn o afiechyd. Rhoddid golch dda o wyngalch i'r waliau allanol er mwyn ffurfio plisgyn o blastr i ddiogelu'r waliau pridd ac i roddi tipyn o liw ac ysgafnder i'r adeilad. Roedd yn ddefod flynyddol ar hirddydd haf i wyngalchu nid yn unig yr wyneb allanol ond hefyd border lydan o gwmpas y lloriau pridd o'r tu mewn, gyda'r bwriad pennaf i ladd unrhyw bryfetach—yn enwedig y mocynpwra (hen air y Penrhyn am bry' copyn)—a geisiai lechu yn y cilfachau tywyll, ac, yn ôl rhai mwy ofergoelus na'i gilydd, er mwyn cadw draw pob ysbryd drwg. Fynychaf, un garreg neu lechen a gaed ar lawr y bwthyn, a honno oedd carreg yr aelwyd.

Gwyddom mai £78.4s.5½c a gostiodd i stad Gogerddan godi ffermdy newydd Llwyngronw ym 1788. Ym 1839, ar lan y rhyd yn y Penrhyn-isaf cymerodd crydd 29 oed o'r enw Jacob Lewis, brydles 31 mlynedd ar ddarn o dir yn mesur 39 x 21 troedfedd ar rent blynyddol o £1 yn ogystal â threth (i'w thalu pob Grawys) o ddwy iâr a 20 wyau. Er mwyn iddo godi'r bwthyn unllawr, bu gofyn iddo gael benthyciad o £70 gan Richard Morris, Aberystwyth, ar log o 5% ar yr amod ei fod yn ad-dalu'r arian yn gyson neu golli meddiant o'i aelwyd. Yn achos tai Cefn-llwyd caniateid 30 niwrnod o ras i dalu'r dreth onidê fe adfeddiennid y tir (a'r tŷ) gan ei berchen. At hynny hefyd, cadwodd y perchen tir yr hawl i chwilio cyflwr y tŷ i sicrhau ei fod mewn cyflwr boddhaol yn ystod saith mlynedd olaf y brydles a chyn iddo'i feddiannu. Gyda threigl amser, fodd bynnag, llwyddodd pob teulu i brynu'r tir cyn i'r prydlesoedd ddirwyn i ben.

Un o ddiffygion y pentrefi o fewn plwy Trefeurig oedd prinder ffynhonnau o ddŵr glân. Ym mhen ucha'r plwy roedd yna berygl bob amser fod y dŵr wedi'i lygru gan blwm, ond nid oedd cymaint perygl o hynny ar lawr gwlad. Mae'n arwyddocaol na ddaliodd yr un hogyn frithyll yn Afon Seilo, sy'n tarddu yng Nghwmsymlog a Chwmerfyn, ond i lawer pysgotwr fwrw'i brentisiaeth gynnar ar lan Afon Stewi. Golygai'r prinder ffynhonnau fod parch dirfawr i'r gŵr a allai ddyfalu dŵr â'i frigyn fforchog o bren cyll. Y mae'n lled amlwg fod y tai cyntaf a godwyd yn y Penrhyn, er enghraifft, wedi'u lleoli o fewn cyrraedd hwylus i ffrwd o ddŵr glân. Roedd ffynnon ar dir y Pandy a etifeddwyd gan y Tŷ Newydd (Tawelfan, heddiw) a ddefnyddid gynt gan deuluoedd y Penrhyn-isaf; a'r un modd roedd ffynhonnau 'cyhoeddus' yng ngerddi Tyddyn Seilo, Dôl-maes-Seilo, y Gelli a Bryntirion. Ar y llaw arall roedd teuluoedd y Garth yn llwyr ddibynnol ar 'ffynnon y cwm' islaw tŷ Cwmbwa neu o'r *bosh* sef y cawg haearn (o'r fath a ddefnyddid yn efail y gwaith mwyn i oeri metalau) a welir hyd heddiw yng nghlawdd gardd y tŷ. Roedd felly'n ofynnol i wragedd a phlant gario'n ddyddiol gyflenwad digonol o ddŵr glân mewn piseri neu fwcedi i ddiwallu anghenion y teulu. Hyd at ddiwedd yr Ail Ryfel Byd ni freuddwydiai neb, ond mewn argyfwng, gario dŵr ar y Sul. Mae'n bur debyg i Enos y Gof godi'i efail wrth dalcen y Tŷ Mawr yn y Penrhyn-isaf oherwydd bod pydew cyfleus i'w gael yn y ffald gerllaw. Hyd yn oed pan godwyd tai'r Gloucester nid ystyriodd ystad Gogerddan mor hawdd a rhad fyddai sicrhau cyflenwad o ddŵr glân o ffynnon y Fron at ofynion y tenantiaid. O ganlyniad bu'n ofynnol iddynt ddringo'r rhiw serth yn ddyddiol am tua chan mlynedd i ddiwallu anghenion y teulu.

Nid pawb, ychwaith, oedd â llwybr cyfleus i lan un o'r ddwy afon a red drwy'r fro, er mwyn sicrhau dŵr at olchi ac i ddisychedu anifeiliaid. I gyfarfod â'r gofyn hwnnw yn y Penrhyn agorwyd ffos ar draws yr hen Gae Mawr o Afon Stewi (o dan Tir-y-dail) i Benrhyn-canol (ger y mynediad i'r cae chwarae) lle'r oedd disgyniad digonol i ddal piser neu fwced, yna o dan y ffordd i fôn y clawdd gyferbyn ac ymlaen i'r Penrhyn-isaf lle gosodwyd cafn cerrig i'w gronni a threfnwyd i'r gorlif redeg i Afon Seilo.

Yn yr Oesoedd Canol roedd pob sgwïer yn hawlio teyrngarwch llwyr ei denantiaid gan fynnu mai drwy ei ewyllys da ef y derbynient bob braint. Felly roedd disgwyl i bob tenant amddiffyn cam ei feistr-tir ym mhob ymrafael, i gyfrannu i ford a bwtri'r plas, ei ddilyn i ryfel yn ôl y galw, ac i weithio ar ei fferm yn ôl y gofyn. Hyn oll yn ychwanegol at ei rent blynyddol. Gydag amser darfu am fyddinoedd preifat y sgwieriaid, a'r ddefod i deulu tenant a fu farw ddychwelyd ei arfau i'r meistr tir. Yn lle hynny hawliai ef un o anifeiliaid gorau'r fferm pan fyddai farw'r penteulu. Yn raddol trosglwyddwyd yr hawl yn amod ym mhob prydles. Er enghraifft, ar 10 Hydref 1768, cymerodd Edward Jenkyn brydles 21 mlynedd oddi wrth yr Arglwydd Lisburne ar Ty'n-pynfarch a rhannau o'r ddau dyddyn Troed-rhiw'r-Cwrt a Brogynin-fach, yn cynnwys tua 158 acer, ar rent blynyddol o £20 yn ogystal â 12 cyw iâr bob Sulgwyn, 4 gŵydd y Nadolig, 4 iâr ac 80 o wyau dydd Mawrth Ynyd, gorfodaeth i falu pob ŷd ym Melin-y-Cwrt, ac ar ei farwolaeth roedd yr ail orau o'i anifeiliaid yn eiddo'r Arglwydd Lisburne. Wrth orfodi'r tenant i ddefnyddio melin y faenor megis y Cwrt (Tirymynach), Cwmbwa, a Chwmerfyn (Trefeurig), roedd Arglwydd y Faenor (y meistr tir, fel rheol) mewn ffordd i hawlio'i dalu mewn dogn o flawd at ei ddefnydd personol. Maes o law rhoddwyd cyfle i'r tenant dalu'r pwythau hyn mewn arian, a chyn diwedd y ganrif ddiwethaf fe'u claddwyd yn y rhent. Credai'r tirfeddiannwr mai ei eiddo ef oedd pob braint ac mai ei benthyg i'w denant a wnâi. Dyna oedd gwreiddyn y ddadl yn y 19 ganrif pan hawliai llawer sgwïer nad oedd gan denant hawl i bleidleisio mewn etholiad yn groes i ddymuniad ei feistr-tir.

Cyn dyddiau'r Cyngor Plwy (a sefydlwyd ym 1894) y ris isaf o lywodraeth leol oedd Llys y Faenor *(Court Leet)* gyda sgwïer mwyaf pwerus yr ardal yn gadeirydd, a'i stiward yn weinyddwr. Roedd hefyd Gwnstabl neu Heddgeidwad i gadw'r drefn o fewn y faenor. Er bod elfen o wir yn yr honiad bod naws ddemocrataidd i'r llys gan mai tenantiaid y faenor oedd yn eistedd mewn barn ar eu cymdogion, go brin y byddai'r un ohonynt yn debyg o fentro i anwybyddu dymuniadau'r sgwïer. Yn gynnar yn ei hanes yr esgus cyffredin dros gynnal llys yn amlach na dwywaith y flwyddyn oedd bod angen digon o ymarfer saethu rhag ofn rhyfel, ond bob yn dipyn, fel y prinhaodd y galw hwnnw, aeth yn anoddach cynnal ymarferiadau. Eto i gyd, hynny a wnaeth y Prysiaid ar dro pan oeddynt am dynnu blewyn o drwyn diwydianwyr lleol megis Thomas Bushell a Humphrey Mackworth a gwynai byth a hefyd fod galw llysoedd afresymol o fynych yn ymyrryd â gwaith y meinars yn Nhal-y-bont a Chwmsymlog pan oedd hi brysuraf arnynt. Yn y bôn, wrth gwrs, pwl o genfigen oedd gwreiddyn y drwg!

Hyd y gwn, ni chadwyd nemor ddim o gofnodion llysoedd Tirymynach na Threfeurig, ond y mae ar gael yng Nghasgliad Gogerddan ddogfen Gymraeg brintiedig o waith John Graham Williams, y stiward, yn gosod allan amodau swydd cwnstabl y llys. Fe'i cyhoeddir yma am fod ei chynnwys yn gyffredin i bob llys a'i bod hefyd yn adlewyrchu rhywfaint o safbwynt teulu a stiward Gogerddan tuag at yr iaith Gymraeg:

> Yr ydym yn cyflwyno (A.B) hedd-geidwad tref-gordd (. . .) fel person cymwys a phriodol i gasglu holl bethau Diarddel, a'r crwydriaid o fewn y Dref ddegwm hon, ac i edrych ar ôl y ffald; am hyn y mae i dderbyn y swm o chwe-cheiniog am gloi, a'r swm o chwe cheiniog am ddatgloi unrhyw nifer o ddefaid a gaffer yn crwydro; hefyd un swllt y pen am bob Ceffyl, Buwch, Asyn, neu Fochyn, a geir yn crwydro ar hyd y prif-ffyrdd, neu ar dir nad yw yn perthyn i'w Perchenogion, ac a ddygir i'r ffald fel Crwydriaid. Hefyd tair ceiniog y pen bob wythnos os rhyddheir hwynt o fewn tri mis; ar ôl hynny ceiniog a dimai y pen bob wythnos.
>
> Am hyn y mae yr A.B. crybwylledig yn ymrwymo i dalu i Pryse Loveden, Ysw., A.S., Arglwydd y Faenor ddywededig, y swm, o 2s.6c yn Ardreth am wasanaeth y ffald o'r Cwrt hwn hyd at y Cwrt canlynol, felly ymlaen o Gwrt i Gwrt, ac hefyd yn cymeryd arno i roddi i lawr hanesion yr holl grwydriaid a ddelo i'w Gadwraeth yn y Llyfr yma yr hwn a ddygir gerbron ac a ddarllenir gan y Goruchwyliwr yn y Cwrt nesaf.
>
> Nid yw yr Heddgeidwad i gneifio un Ddafad grwydr heb roddi Rhybudd i'r Goruchwyliwr yr hwn sydd i wneud Cyhoeddiad o hynny un wythnos cyn y cneifio.
>
> Bydd i linyn coch gael ei osod am wddf pob anifail crwydr cyn gynted ag y cymerir ef fel nôd i'w wahaniaethu.

Yn Nhirymynach lleolwyd y ffald ar law chwith y ffordd sy'n arwain o Ben-cwm i Bont-goch—ergyd carreg o Dŷ'r-banc; ac yn Nhrefeurig fe'i gosodwyd ger y groesffordd ar Fanc y Darren.

Nid o ddewis yr âi neb yn gwnstabl y faenor, er mai blwyddyn o dymor ar y tro a ddisgwylid ganddo, oherwydd golygai dreulio llawer iawn o amser prin ffermwr i gyflawni holl alwadau'r swydd, a hynny'n fynych pan oedd yn rheitiach iddo fod yn gofalu am ei fferm ei hun. At hynny roedd hi'n rhy hawdd o'r hanner iddo dynnu ar ei ben ddicter ei gymdogion wrth iddo geisio cadw llythyren y gyfraith. Rhywbeth felly, mae'n siŵr, a barodd i Richard Jenkin, Ty'npynfarch, esgeuluso cadw'r ffald mewn cyflwr da, ac am hynny mewn llys a gynhaliwyd ar 10 Mai 1811 fe'i cosbwyd 2s.6c, collodd ei swydd, a dewiswyd Evan Jones, Llety-Ifan-hen yn ei le.

Roedd anifeiliaid crwydrol yn gryn broblem mewn oes pan nad oedd cloddiau a sietynau'n gyffredin, ac y cyflogid plant i fugeilio'r gwartheg a'r defaid yn eu cynefin. Fel rheol roedd y caeau'n helaeth gyda stribedi neu leiniau o'r tir wedi'u neilltuo i'w pori, i godi gwair ac i'w haredig. Gyda theuluoedd mawr o blant yn y dyddiau cyn 1872 pan ddeddfwyd bod yn rhaid i bob plentyn fynychu'r ysgol gynradd, roedd digon ar gael i gynnig eu gwasanaeth am bryd o fwyd. Cae Llain, gyda llaw, oedd yr hen enw ar y darn hwnnw o'r Cae Mawr gwreiddiol lle saif Maes Seilo a Cae Mawr.

Roedd galw ar i bob dyn oedd yn byw yn y faenor fod yn bresennol yn y llys pan alwai'r gweinyddwr ei enw neu roedd gofyn iddo dalu dirwy. Yn fferm y Cwrt y cynhelid llys Tirymynach, ac ar 8 Mai 1812 y dirwyon a osodwyd ar y rhai a oedd yn absennol oedd: ffermwr 2s; gweithiwr yn byw mewn bwthyn 1s; dyn di-briod 6c. Erbyn 1823 gwelir ôl chwyddiant ar waith pan osodwyd y dirwyon canlynol: Perchen tir 10s; Tenant tir 9s; Bythynnwr 4c; Person sengl 4c.

Roedd gan y llys ddirfawr ddiddordeb ym mywyd pawb o'i drigolion, a gofalai hyd yr eithaf ddiogelu unrhyw freintiau a berthynai iddynt. Er enghraifft, fel rheol roedd darn o dir cwmin yn perthyn i bob maenor, a hawl a gyfyngwyd i'w theuluoedd hi oedd cael gyrru nifer penodedig o anifeiliaid neu wyddau i bori yno. Yr un modd roedd ganddynt hawl i ladd rhedyn i'w rhoi o dan yr anifeiliaid yn y gaeaf, a brwyn at doi'r tasau ŷd. Y fraint fwyaf, mae'n siŵr, oedd yr hawl i dorri mawn er mwyn sicrhau gwres ar yr aelwyd. Unwaith y cynheuid tân mawn fe ellid, gyda gofal, ei gadw am flynyddoedd trwy ei enhuddo bob nos (hynny yw, ei gasglu ynghyd a'i orchuddio â dwy neu dair mawnen a fyddai'n ddigon i gadw'r tân i fudlosgi dros nos). Roedd cael tas o fawn yn nhalcen y tŷ yn gaffaeliad mawr. Nid oedd gan neb hawl i werthu mawn i ddieithriaid. Temtasiwn, er hynny, oedd i'r difreintiedig fentro dros y ffin i godi llwyth o fawn megis y gwnaeth Griffith Pughe, Cwm-canol, John Jenkins y masiwn, Melin Cwmbwa, Jenkyn Williams, Penrhyn-coch, Richard Evans, Syfydrin, a David Jenkins, Llety-spens, a chael dirwy bob un o £1.19s.6c ym maenorlys y Cwrt ar 5 Tachwedd 1824 am ddwyn mawn o Waun Sarnddu—ger Craig y Pistyll.

Roedd gan berchen tir a thenant tyddyn yr hawl i gadw milgi a dryll er mwyn lladd anifeiliaid ac adar rheibus, ond cael ei gosbi am botsian fyddai tynged penteulu bwthyn am hynny.

'Does dim a ddengys yn well gyflwr mwyafrif ffyrdd cefn gwlad yng nghanol y 18 ganrif na'r cofnod am gosbi Evan Lewis 6s. 8c. ar 24 Hydref 1765, am iddo aredig y ffordd rhwng Ty'n-cefen a'r Cwrt. Yn wir, hyd at ddiwedd y ganrif ddilynol ni fu llawer o ffyrdd gwledig fawr gwell na llwybrau llydain, lleidiog!

Dyddiad allweddol ym mywyd gweision a morynion y ffermydd oedd 13 Tachwedd, sef Gŵyl Calan Gaeaf, a'r tri Llun dilynol pan gynhelid ffeiriau cyflogi yn y dre. Hyd at ddechrau'r Ail Ryfel Byd bu'n hen, hen arfer iddynt gerdded y Stryd Fawr yn Aberystwyth i ddisgwyl cael eu cyflogi am y flwyddyn ddilynol. Mater o fargeinio taer oedd hi fynychaf rhwng ffermwr (a'i wraig) a gwas neu forwyn, ac wedi cytuno trwy daro cledr ar gledr derbynient swllt neu hanner coron o ern i selio'r cytundeb. Pe digwyddai i'r cyflogedig newid ei feddwl yn ystod tymor y ffeiriau am unrhyw reswm, megis cael amgenach cynnig, y cyfan oedd angen iddo ei wneud oedd dychwelyd yr ern heb o reidrwydd ddweud gair. Fel rheol, ni thelid mohono hyd pen tymor, ac os torrai ar ei dymor nid oedd warant y derbyniai gyflog hyd yn oed am y cyfnod a weithiodd. Nid oedd cyflogau gweision ffermydd i'w cymharu â'r hyn a delid yn y gweithiau, ond yr oedd yn well gan lawer sicrwydd y tir na pheryglu iechyd a bywyd yn y gweithiau gyda diweithdra mynych. Er bod mân wahaniaethau rhwng y cyflogau a dalai ffermwyr o fewn un ardal, fe rydd y tabl canlynol syniad bras inni o'r cyflogau a delid. Rhaid cofio fod gwely a bord yn ychwanegiad at y cyflogau hyn, ac yn gyffredin caent ddigon o datw had i blannu rhes o datw i'w teuluoedd.

	1601	1805	1865	1900
Gwas pennaf	£3.10s/£4.10s	£8	£14.5s	£24
Ail Was	£3		£10	£19
Trydydd gwas	£2			
Gwas bach i fugeilio	£1.5s./£1.10s			
Morwyn bennaf	£3	£5	£6.10s	£16
Ail forwyn	£2.10s		£5.5s	
Morwyn fach	£1.10s			

Wedi saith mlynedd o wasanaeth di-dor fe dderbyniai gwas rodd o hether (*heifer*), a morwyn bâr o flancedi.

Hyd y gwn i, yr unig lyfrau cyfrifon ffermydd yn yr ardal a gadwyd yw rhai Ty'n-rhos, 1850-79 a Llety-Ifan-hen, 1900-08. Er bod y cyntaf dros y ffin megis, y mae'n ddigon agos yn Nhirymynach i fod yn berthnasol, ac i roddi inni gipolwg ar fyd digon tebyg i'r hyn a fodolai ym mhlwyf Trefeurig.

Edward Hughes oedd ail was Ty'n-rhos yn ystod 1870-2 ar gyflog o £10.10s y flwyddyn gyntaf a gododd i £14 yn ei ail dymor. Mae'n ddiddorol sylwi iddo godi dau swllt o'i gyflog ym misoedd Rhagfyr, Chwefror a Mai i dalu am esboniad i'r Ysgol Sul, sy'n lled brofi ei fod yn gallu darllen, ac mai trwy dalu tanysgrifiadau dros gyfnod yn unig yr oedd ef a'i debyg yn alluog i brynu llyfrau. Yn ei ail flwyddyn prynodd ail esboniad gwerth 11s 6c. Roedd Clwb Llyfrau, clociau, etc. yn gyffredin iawn yn y gweithiau.

Daw Edward Hughes i'r golwg eto ar droad y ganrif pan oedd ef a'i deulu'n byw yn Llawrcwm-mawr ac yn fugail Llety-Ifan-hen ar gyflog o £10 a hawl i bori 20 o ddefaid. O bryd i'w gilydd mewn blwyddyn fe brynai allan o'i gyflog, oddi wrth ei feistr, geirch llwyd, ceirch gwyn, ychydig fenyn, tatw, *basic slag,* a gwair, sy'n awgrymu fel roedd ffermydd mynyddig yn helpu'i gilydd.

Pan oedd Syr George Stapleton, ar ddiwedd y Rhyfel Byd Cyntaf, yn diwyd sefydlu'r Fridfa Blanhigion, fe grwydrodd llawer ar draws llethrau Pumlumon yn chwilio am ffermydd addas, a ffermwyr ewyllysgar i gydweithio â'i staff yn eu harbrofion chwyldroadol i wella porfeydd mynydd. Un o'r lleoedd y disgynnodd ei goelbren arni oedd Llety-Ifan-hen, sydd, gyda Chwm-y-glo, yn edrych i lawr ar fro Dafydd ap Gwilym, fel petai'n gwarchod ôl ei droed!

Y mae'n ddiddorol, gan hynny, gael cip ar gyfrifon Llety-Ifan-hen ar ddechrau'r ganrif gan eu bod yn cyfleu inni rywfaint o naws bywyd cefn gwlad ar ddiwedd cyfnod hir o sefydlogrwydd a drawsnewidiwyd ar fyrder gan ryfel 1914-18.

Pan ddechreuodd James Jenkins ffermio ar ei liwt ei hun ym 1900, derbyniodd rodd o 860 o ddefaid a 260 o ŵyn gan ei dad, ond ar gyfartaledd cyfrif am braidd o gwmpas 850 a wna fynychaf. Ym 1906 sonnir am 14 o ddynion yn cneifio â'u dwylo 803 o ddefaid mewn diwrnod sef, ar gyfartaledd, 57 yr un. Gwerthid y gwlân yn uniongyrchol naill ai i ffatri yn Nhal-y-bont neu i brynwyr yn Aberystwyth neu Fachynlleth, am brisiau yn amrywio o 4¾c ym 1902

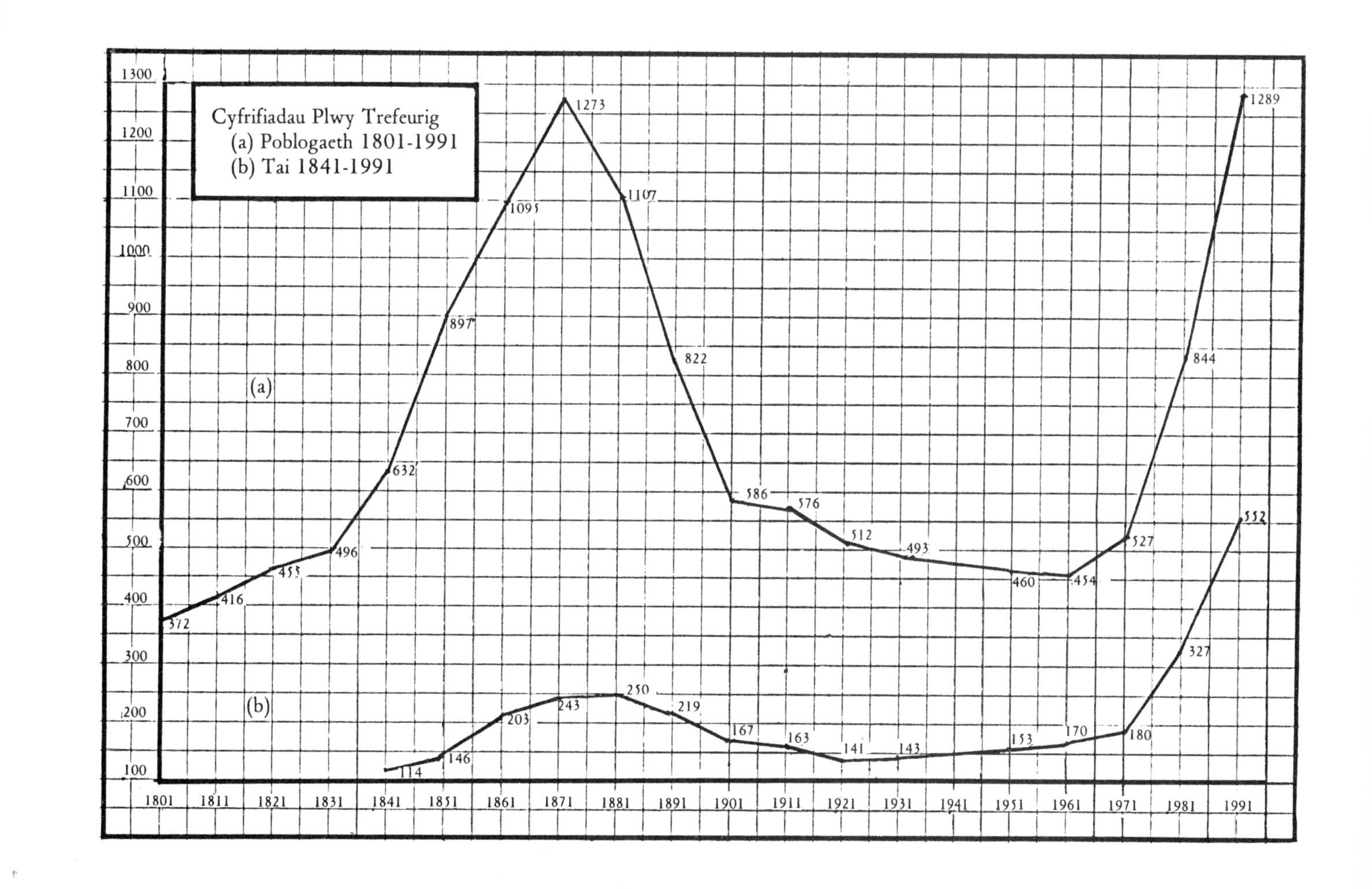

Cyfrifiadau Plwy Trefeurig
(a) Poblogaeth 1801-1991
(b) Tai 1841-1991
1300
1200
1100
1000
900
800
700
600
500
400
300
200
100
(a)
(b)
372
416
455
496
632
897
1095
1273
1107
822
586
576
512
493
460
454
527
844
1289
114
146
203
243
250
219
167
163
141
143
153
170
180
327
552
1801
1811
1821
1831
1841
1851
1861
1871
1881
1891
1901
1911
1921
1931
1941
1951
1961
1971
1981
1991

i 10¼c y pwys ym 1904. I un a werthai o gwmpas 1,450 pwys o wlân bob haf, roedd amrywiaeth mawr ym mhrisiau'r farchnad fel hyn yn effeithio'n fawr ar economi'r fferm a safon byw y teulu. Ffynhonnell incwm bach ond cyson rhwng y gwanwyn a'r hydref oedd cadw defaid tac Richard Davies, Llwyngronw, a yrrai o gwmpas 80 o ddefaid a 30 o ŵyn i bori ar y mynydd ar gost o swllt y ddafad ym 1901, a 3c am oen. Talai tyddynnwr bach 15s am bori ceffyl neu fuwch neu hether.

Fferm gymysg oedd Llety-Ifan-hen a chadwai gyfrifon manwl o bob gwerthiant yn cynnwys menyn, swllt y pwys; wyau, dimai'r un; buwch a llo £12.5s, mochyn (293 pwys), 8s.6c y scôr; 4 hether i'r porthmon John Baker, Rhydypennau (a roddodd ei enw i gae chwarae'r Penrhyn) ym mis Chwefror 1900, am £7.7s.6c. y pen, ond 4 am £4.4s yr un yn Awst 1901; cant o datw, 5s, ac yn y blaen.

Erbyn troad y ganrif roedd y gweithiau mwyn yn dirwyn i ben, ond roedd eto ddigon o ddynion ar gael a gredai fod yna wythïen arian gyfoethog ynghadw ar eu cyfer yng nghrombil Pumlumon, a dim ond iddynt ddal ati'n ddigon hir y clywent hwythau dinc morthwylion 'y dynion bach'. Ac ymhlith y cyfryw roedd J.J. a nifer o gyfeillion a gymerodd '*take note*' ar hen waith Vaughan a redai dan diroedd Llety-Ifan-hen, Cwm-y-glo a Throed-rhiw-seiri. Fodd bynnag, fe sylweddolir hyd a lled eu gobeithion o ddarllen mai chwe swllt y pen oedd cyfraniad yr un ar ddeg 'mentrus' o'i gymharu â'r £10,000 y ceisiwyd ei godi ym 1846 i weithio'r *Vaughan* a *Willow Lawn!* Ond, yn ôl y disgwyl, ni fu'r un ar ddeg ronyn brasach eu potes!

Os Dafydd ap Gwilym a Gogerddan a roddodd fri i ran isaf plwy Trefeurig, y diwydiant plwm ac arian a ddaeth ag enwogrwydd i ben ucha'r plwy, a hynny, yn anad dim a adawodd fwyaf o ddylanwad ar dirwedd a phobl yr ardal. Sonnir llawer heddiw am y newid dirfawr a ddigwyddodd ym mhob pentref yn ystod y chwarter canrif diwethaf yma oherwydd y mewnfudo cyson o Saeson a fu. Ond y gwir yw mai dyma'r eildro y profwyd hyn yn ein hanes diweddar. Mae'n ddiddorol sylwi mai tua 372 oedd poblogaeth y plwy ym 1801, ac nad oedd ond 460 ym 1931. OND rhwng y ddau ddyddiad fe brofwyd twf enfawr i gynifer â 1,273 ym 1871 cyn i ddirwasgiad ffyrnig chwalu'r gymdeithas leol fel coedwig wedi corwynt.

O ddyddiau Elizabeth I pan ddaeth Almaenwyr i weithio i Cwmsymlog, eithriadau oedd gweld Cymry megis Hugh Myddelton a

Lewis Morris ymhlith prif swyddogion y gweithiau. O Gernyw a Dyfnaint y daeth y mwyafrif, megis James Read (Kenwyn, Cernyw: Cwmsymlog, 1841); Samuel Nichols (Cernyw; Bwlch, 1851); John Boundy (St. Anne's, Cernyw, 1851); Robert Northey (Kenwyn, Cernyw: Bwlch, 1861), a Samuel Tregonning (Gwennep, Cernyw, 1861). Yn eu cysgod daeth llawer o fwynwyr, uniaith Saesneg, i weithio dros dro yn unig—rhyw bererinion gwely a brecwast megis yr wyth a gafodd lety gan eu cyd-wladwr, John Uren, a gadwai'r *Farmers' Arms* yn y Penrhyn-isaf. Ond daeth eraill yma i daenu eu gwelyau ac i fagu'u teuluoedd yn Gymry glân. Rhai felly oedd Dafydd Mason a ddaeth yn wreiddiol o Gernyw heibio i Bonterwyd, James Garland (Cernyw), Thomas Roderick (Lancashire), Thomas Spedding (Workington, Cumberland) a Thomas Kemp (Calstock, Cernyw), a llu eraill.

Nid oedd gofyn cofnodi man geni cyn cyfrifiad 1851 ond o hynny ymlaen ceir digon o dystiolaeth fod Cymry o blwyfi cyfagos yn ogystal ag o siroedd y gogledd, ynys Môn a Fflint, hefyd yn symud yma ar drywydd gwaith. Er bod modd cyfrif nifer y mwynwyr oedd yn byw yn y plwy, rhaid cofio nad hynny oedd cyfanrif y rhai a weithiai yma gan fod nifer mawr o Enau'r-glyn a Melindwr yn cerdded i weithio yng Nghwmerfyn, Cwmsymlog, y Darren a Llechwedd-hen (Bronfloyd). Rhestrwyd 102 o lwybrau yn y plwy ym 1956—llawer ohonynt ar gyfer mwynwyr a gerddai i'r gweithiau o blwyfi cyfagos.

Y mae rhestru'r swyddi a gofnodir yn y Cyfrifiadau yn gymorth inni sylweddoli heddiw mor agos at hunan-gynhaliol oedd y gymuned leol gynt. Sylwer, er enghraifft, ar y cryddion a wnâi sgidiau yn ogystal â'u trwsio; y seiri a wnâi ffenestri, drysau ac ati at godi tai heb sôn am ddodrefn megis dreseri, cadeiriau, certi yn cynnwys yr olwynion a gylchwyd gan y gof; y teilwriaid a'r gwniadyddesau a wnâi ddillad i bob oed o frethyn a gynhyrchwyd gan y gwehydd lleol o wlân y defaid a borai ar Bumlumon. Darfu am y teiliwr olaf yn union wedi'r rhyfel. Ym 1841 a 1861 cofnodir pum busnes a allasai fod wedi tyfu ond a ddarfu yn eu tro. Ym 1841 dywedir mai darllaw cwrw oedd gwaith John James, Bronfeurig; ac ym 1861 sonnir am y weddw Elizabeth Edwards (34) yn gwneud capiau, a thair arall, Catherine Jones (70), Mary Jones (42) a Mary Thomas (63) yn cael deupen y llinyn ynghyd trwy wau sanau! Ym 1851 cofnodir mai gwneud lledr (*tanner*) oedd John Jones, Salem, ond prin, debygwn i ei fod yn dal i weithio ac

Galwedigaethau 1841-81

	1841	1851	1861	1871	1881
Athro				2	4
Bugail	6	12	16	13	11
Cigydd	1	2	1		
Crydd	6	8	11	9	6
Ffermwr	18	30	20	22	25
Gof	2	4	5	6	2
Gwehydd	4	6	1	1	
Gweinidog	2	2	2	2	2
Curad				1	1
Gwniadreg	1	3	7	11	10
Masiwn		3	7	5	16
Melinydd	2	2	2	2	2
Mwynwr	70	190	207	275	191
Saer	9	13	10	8	5
Siopwr		1	2	1	5
Tafarnwr	2	2	[?]	5	2
Teiliwr	4	4	4	5	2

yntau'n 70 mlwydd oed.

Adlewyrchwyd y cynnydd mewn poblogaeth gan y galw am helaethu capeli Horeb (1856) a Salem (1864), a'r cynnydd a gaed yn nifer y tafarnau. Mae'n amlwg na fu cadw tafarn yn cynnig bywoliaeth lawn, oherwydd roedd gofyn i bob tafarnwr, hyd y gwelir, hefyd gadw siop neu ffermio neu ddilyn crefft. Dyna fu hanes penteuluoedd y *Farmers' Arms* ym Mhenrhyn-isaf, y *New Inn* yng Nghwmerfyn, y *Three Horse Shoes,* y *Cwmsymlog Arms* a'r *Miners' Arms* ym Mhen-bont Rhydybeddau. Roedd rhai ohonynt hefyd yn lletya mwynwyr, ac ar dro, yn ôl y galw, drafaelwyr. Ym 1851 roedd John Uren a'i deulu, yn cynnwys ei wraig, naw o blant a morwyn, yn byw yn y *Miners' Arms,* a noson y Cyfrifiad roedd hefyd yn aros yno dri thrafaeliwr sef copïwr dogfennau (*scrivener*) a gwerthwyr hetiau a llestri pridd.

Bywyd caled, peryglus ac ansicr iawn oedd eiddo'r mwynwr erioed. Mater o fargeinio tyn am weithio darn o dalcen oedd hi fel rheol, ac erbyn iddo dalu am ganhwyllau a phowdwr yn siop y gwaith, cael a chael oedd hi iddo ennill cyflog o gwbl oni ddigwyddai daro ar wythïen gyfoethog o fwyn. Clywais gan hen fwynwyr am lawer un a fu mewn dyled i'r cwmni ar ddiwedd mis o waith caled gan ei bod yn rheidrwydd arno brynu yn siop y Cwmni. Deg ceiniog y dydd oedd cyflog mwynwr ym 1788, ac erbyn 1840 nid oedd ond 15s yr wythnos a 12s i labrwr. Nid enillai mwynwr profiadol ond £3 y mis o'r adeg hon hyd ddiwedd y ganrif, a hyd yn oed pan drawai ar linyn arian ni wnâi ar gyfartaledd ond cau'r bwlch. Pan dorrai Cwmni—a digwyddai hynny'n rhy fynych oherwydd buddsoddwyr trachwantus—yr olaf un i dderbyn ei gyfran deilwng oedd y mwynwr di-gefn. Droeon fe amddiffynnwyd achos y tlodion hyn gan benteulu Gogerddan. Ar y llaw arall roedd pob gradd o grefftwr yn frasach ei fyd; er enghraifft, ym 1884 yng Nghwmsymlog enillai Lewis Hughes, y saer, 4s.3c y dydd, a Thomas Evans, y gof, 3s.9c, ond 1s.1c a dalwyd i Sophia Jones am olchi mwyn. Roedd galw ar weithwyr Cwmsymlog (a diamau pob gwaith) danysgrifio rhwng 3c a 1s. 6c y mis i glwb y gwaith a ofalai am wasanaeth Doctor oedd yn byw yng Ngoginan i aelod a fyddai'n afiach ac ychydig dâl dros gyfnod ei salwch. Ond prin oedd y cyfleusterau at ei gilydd ac am hynny roedd cadw grwn o lysiau meddyginiaethol yng nghornel yr ardd yn rheidrwydd. At hynny, ym mhob ardal fe gaed o leiaf un wraig fwy gwybodus na'i gilydd yn barod i gynnig trin y claf a'r clwyfus mewn argyfwng. Dwy o'r fath, o fewn cof, a enillodd fri am drin llosg tân a chlwyfau oedd y ddwy Jane Davies, mam a merch, oedd yn byw ym Mhenrhyn-canol, a chanddynt dafodau brathog i'r esgeulus ond a fu gyda'r parotaf eu cymorth. Ond ni allai'r un ffisig gan na Doctor na llysieureg wella peswch y mwynwr a fu'n fedelwr cyson. Roedd diffyg awyr iach mewn tai nad oedd eu ffenestri'n agor yn un rheswm paham y cerddai'r dicáu (*tuberculosis*) o un genhedlaeth i'r llall, a diffyg gofal o'r amgylchfyd a oddefai i luwch afiach tomenni sbwriel y gweithiau wenwyno'r ffynhonnau dŵr glân a'r borfa. Y mae Adroddiad y Pwyllgor Ymchwil i'r dicáu— a gadeiriwyd gan Clement Davies ychydig cyn yr ail ryfel—yn hunllefus o ddadlennol am gyflwr iechyd a safonau byw yng nghefn gwlad yn y 30au, ac er i Feddyg y Sir fwyta'i eiriau am rai pethau a ddywedodd am blwy Trefeurig lle'r oedd nifer mawr yn dioddef o'r afiechyd roedd corff ei dystiolaeth yn ddi-droi'n-ôl.

Pan fu farw John Pugh Pryse ym 1774 etifeddwyd Gogerddan gan gangen o'r teulu a oedd yn byw yn Lloegr, ac am rai blynyddoedd penodwyd stiward i ofalu am y stad. Un o'r rhai a lanwodd y swydd honno oedd William Poole, gŵr ifanc, dibriod o gyffiniau Harlech. Roedd ei fam, Lowry, yn weddw, a 'doedd hi ryfedd yn y byd felly iddi ddilyn ei mab i gadw'r rhan honno o'r plas a neilltuwyd i'r stiward a'i deulu.

Yn sir Aberteifi roedd diwygiad crefyddol y Methodistiaid ar ganol y ganrif fwy na pheidio wedi meddiannu'r canolbarth, ond ni chyffyrddodd â chwmwd Trefeurig oedd yn dal yn rhan o blwy enfawr Llanbadarn. Mewn gwirionedd roedd y plwy hwnnw'n rhy fawr i'w fugeilio'n llwyr ac am fod ei ddegymau wedi mynd i ddwylo lleygwyr nid oedd gan yr offeiriad mo'r adnoddau i dalu am help. Allan ar y cyrion yr oedd Trefeurig felly.

Tua 1776 roedd y Bedyddwyr wedi cychwyn cenhadaeth yn sir Feirionnydd gyda chryn lwyddiant yn y wlad rhwng Cricieth—Garndolbenmaen—Harlech. Ymhlith y rhai oedd yn disgwyl cael eu bedyddio yn Harlech roedd dwy ferch ifanc, Catherine Williams a Margaret Simon, a oedd yn nith i Lowry Poole ac yn bwrw gwyliau'r haf yng Ngogerddan. Ar y ffordd i Gymanfa yng Nghaerfyrddin yn nechrau Mehefin 1787 roedd tri o weinidogion o'r gogledd, sef Dafydd Hughes (Harlech), Richard Michael (Môn), a Hugh Evans (Nefyn), ac ysgolfeistr ifanc o'r enw John Williams a oedd yn nai i Lowry Poole. Cawsant fwrw ychydig ddyddiau yng Ngogerddan, a chyfle i bregethu yn y sgubor fawr cyn bwrw 'mlaen ar eu taith. Ar ei ffordd yn ôl i Harlech cafodd Dafydd Hughes gwmni David Saunders, Aberduar, a chawsant eto groeso i dorri eu siwrne yn y plas, a chyfle i bregethu yn Bow Street cyn bedyddio Margaret Simon a Catherine Williams yn Afon Nantafallen ger y Felin (o fewn ergyd carreg i Gapel Noddfa). Cafwyd gwasanaeth bedydd eilwaith ar 1 Tachwedd, ac ar 29 Mehefin y flwyddyn ddilynol cynhaliwyd dau wasanaeth bedydd yn yr undydd. Yn y bore cynhaliwyd un ger Pont Corry yn Aberystwyth, ac yn y pnawn bedyddiwyd deg yn Afon Seilo ger y Llythyrdy yn y Penrhyn-isaf. Dilynwyd hyn gan wasanaeth cymun yng nghornel y cae a ffurfiwyd yno eglwys gyntaf y Bedyddwyr yng ngogledd sir Aberteifi. Maes o law fe godwyd dau gapel sef Bethel, Aberystwyth, a Horeb, Penrhyn-coch, a bellach dathlwyd eu daucanmlwyddiant.

Daeth Horeb yn fuan i lanw bwlch mawr ym mywyd ysbrydol, cymdeithasol a diwylliannol ardal a esgeuluswyd a lle'r oedd llanw a thrai y boblogaeth yn dibynnu ar lwyddiant y gweithiau mwyn ym mhen ucha'r plwy. Sicrhawyd tir ar fferm Pen-banc a chodwyd y capel cyntaf ym 1788/9 trwy lafur cariad y fintai fach. Gan gymaint y cynnydd yn nifer yr aelodau bu'n rhaid codi ail gapel ym 1817, a thrydydd ym 1856.

O'r cychwyn cyntaf trefnwyd bod hawl cadw ysgol yn y capel, ac er nad oes gofnod am hynny, mae'n bur debyg mai'r gŵr a ofalodd am hyn oedd y gweinidog cyntaf, John Williams, a gadwai ysgol yn Aberdyfi cyn dod i'r Penrhyn. Roedd ef yn gefnder i William Poole, stiward Gogerddan, ac o'r un teulu â'r bardd Robert ap Gwilym Ddu. Cyfansoddodd John Williams lawer o emynau poblogaidd (megis, 'Beth yw'r utgorn glywa' i'n seinio') ac yr oedd yn ganwr a cherddor. Cefnogodd ddull efengylaidd o bregethu gan feithrin canu cynulleidfaol fel rhan bwysig o'r gwasanaeth a hynny'n gwbl groes i draddodiad y Bedyddwyr cynnar a ddymunai addoli mewn 'llonyddwch pur'. Iddynt hwy 'pobl y tân dieithr' oedd y bobl ieuainc hyn a gefnogid gan y gweinidog. Ond byr fu arhosiad John Williams oherwydd ymhen dwy flynedd derbyniodd alwad i'r Hen Dŷ yn Abertawe. Yn fuan wedyn daeth Samuel Breeze (yn enedigol o Landinam) i gadw ysgol ddyddiol yn Horeb, ond wrth fod Horeb a Bethel yn ddiweinidog ar y pryd, fe bwyswyd arno ef a gŵr ifanc o'r enw John James i fod yn gydweinidogion ar y ddwy eglwys. Yr un John James oedd hwn â'r gŵr a fentrodd godi'r wasg argraffu gyntaf yn Aberystwyth.

Magodd Ysgol Sul Horeb gryn fri wrth iddi ddysgu cenedlaethau o blant ac oedolion i ddarllen a thrafod yr ysgrythurau, ac wrth hynny eu paratoi i gyfrannu'n sylweddol i fywyd yr ardal a thu hwnt. Ceir rhai manylion diddorol iawn amdani yn Adroddiad Comisiwn Addysg 1847 ('Brad y Llyfrau Gleision'), sef bod yma 19 athro (yn cynnwys dwy wraig) ar gyfer 133 o ddisgyblion, ac er mor gyffredin oedd y dodrefn, tystiwyd bod 118 o'r disgyblion a oedd yn bresennol yn gallu darllen ac nad oedd ond deuddeg o'r plant yn mynychu ysgol ddyddiol (yn Llandre neu Aberystwyth mae'n debyg). Rhywbeth tebyg oedd hi yn Salem Coedgruffydd. Ystyrier o ddifri faint y gwacter a fyddai yn yr ardal hon oni bai am y gweithgarwch gwirfoddol hwn!

Llawn mor ddiddorol yw'r ystadegau a gasglwyd ar y Sul, 30 Mawrth 1851 i'w cynnwys gyda chyfrifiad y flwyddyn honno, sy'n cofnodi'r niferoedd a oedd yn bresennol yn y cyfarfodydd:

	Bore	Prynhawn	Hwyr
Horeb	240	174	235
Cwmsymlog	89	75	93
Salem	300	260	
	(+ 40 plant)		

Yn eu tro bu cynifer â 23 o weinidogion yn gwasanaethu Horeb o'i chychwyn hyd heddiw, yn cynnwys rhai megis Simon James Rowe, Isaac Jones, E. T. Jones, a W. Rhys Jones a wnaeth enw iddynt eu hunain fel pregethwyr huawdl iawn, a chyfrannodd pob un ohonynt yn ddieithriad i gyfoethogi profiad ysbrydol yr aelodau a oedd dan ei ofal, ac i ddyfnhau ymwybyddiaeth y gymuned leol o werthoedd Cristnogaeth.

O genhedlaeth i genhedlaeth roedd arweinwyr Horeb yn credu'n ddi-syfl mai yn yr Ysgol Sul—nid yn yr ysgol ddyddiol—yr oedd hyfforddi plentyn yn egwyddorion ei grefydd. Dyna un rheswm paham y bu cymaint bri ar baratoi'r disgyblion ar gyfer yr arholiadau blynyddol a drefnir gan Undeb Bedyddwyr Cymru. Nid anghofiwyd yn hir frwydr addysg 1871. Enillwyd gwobrau unigol niferus, a tharianau Cymanfa Caerfyrddin a Cheredigion yn ogystal â tharian yr Undeb yn fynych, megis ym 1991, ond nid er clod a bri y bu'r ymdrech ond er mwyn meithrin sicrwydd gwybodaeth ysgrythurol ymhlith yr ifanc a chynnig iddynt felly ganllawiau diogel trwy fywyd. Un o'r rhai a roddodd oes hir o wasanaeth i'r Ysgol Sul yw Miss Sali Jenkins a dderbyniodd fedal Mrs Bevan-Evans ('Medal Gee' y de) a gyflwynwyd iddi yng nghyfarfod blynyddol Cyngor Eglwysi Cymru ym Mhontarddulais ym 1990.

Erbyn 1920 teimlwyd mawr angen festri yn Horeb yn dilyn beirniadaeth gan un neu ddau o'r genhedlaeth hŷn pan lwyfannodd y gweinidog ifanc, O. E. Williams, ddrama *Aeres Maes-y-felin* yn y capel. Cafodd gefnogaeth barod Cymdeithas y Chwiorydd yn arbennig pan awgrymodd eu bod yn gweithio i godi cronfa at gael festri, ac er iddynt gymryd y ddegawd ar ei hyd, yn nechrau Awst 1931 agorwyd y festri'n ddiddyled. Bu'n fendith ei chael i gynnal gweithgareddau amrywiol y capel a'r gymuned leol.

Yn nechrau haf 1985, cododd Mrs Nia Lewis gôr—Côr Merched Bro Dafydd—gyda'r bwriad o gyflwyno caneuon cyfoes cynhyrfus eu rhythmau fel y gwnaeth John Williams ('Siôn Singer') yn nyddiau cynnar Horeb. Yn fuan iawn wedyn cyrhaeddodd y Parchg Peter M. Thomas i weinidogaethu yn Horeb a Bethel, Aberystwyth, a chafwyd ganddo ef a'r côr gyfres hynod lwyddiannus o gyflwyniadau o'i waith ef, a roddodd wefr newydd i fywyd yr eglwys.

Nid Bedyddwyr oedd yr unig ymneilltuwyr i weld yr angen am genhadaeth ym mhlwy Trefeurig ar droad y 19 ganrif. O'r Neuaddlwyd ger Aberaeron roedd y Parchg Dr Thomas Phillips eisoes wedi sefydlu achosion i'r Annibynwyr yn Llanbadarn Fawr a Thal-y-bont, ac ym 1806 ar ei gymhelliad ef daeth y gŵr hynod Azariah Shadrach o Lanrwst i ofalu am y maes newydd. Yn bur fuan wedi iddo gyrraedd gofynnwyd iddo fedyddio ŵyr bychan i benteulu Coedgruffydd ac am iddo ennill ffafr y gŵr hwnnw gwahoddwyd gweinidog Bethel i bregethu ar ei aelwyd. Unwaith y cafodd led troed yn yr ardal ni fu Azariah Shadrach fawr o dro cyn estyn ei gylchdaith i Gwmsymlog, Pen-bont, Lluestnewydd, a hyd yn oed cychwyn Ysgol Sul yng Nghwmbwa a'r Cwrt.

Erbyn 1823 roedd baich ei ofalon yn ormod iddo a chymhellwyd Moses Ellis o sir y Fflint i fugeilio Tal-y-bont a'r aelodau oedd yn cyfarfod yng Nghoedgruffydd. Ymhen llai na blwyddyn wedi iddo gyrraedd, sef ar 24 Awst 1824, fe brynwyd oddi ar John Richards, Cwmwythig, am £20, ddarn o dir yng Nghae Geufron ar fferm Brogynin-fawr, i godi arno gapel a sicrhau mynwent. Galwyd y tŷ cŵrdd newydd yn Salem, a phan adeiladwyd pentre gerllaw tua chanol y ganrif fe gymerodd ato enw'r capel.

Fe ddethlid gŵyl Padarn Sant ar 17 Ebrill am ganrifoedd lawer gyda gwasanaethau boreol yn yr eglwys ond yn raddol fe ddirywiodd yn ffair wagedd swnllyd yn ystod y pnawn a'r hwyr. Yn fuan wedi i Thomas Phillips ac Azariah Shadrach sefydlu capel yn Llanbadarn aethant ati i gynnal Cymanfa Bwnc i gapeli Annibynnol Gogledd y sir, a ddaliodd mewn bri mawr wrth iddi fynd o gwmpas, a chafwyd hwyl fawr mewn llawer Cymanfa a gynhaliwyd yn Salem yn ei thro.

Tyfodd yr aelodaeth o'r 20 gwreiddiol i 124 ym 1857, 228 ym 1850, a 300 ym 1860, ac ym 1860 codwyd capel a thŷ yng Nghwmerfyn am £300 ac ar ddymuniad y gweinidog fe'i galwyd yn Siloa ar ôl ei fam eglwys yn Aberdâr. Ym 1868 gollyngwyd 60 o aelodau Salem i ffurfio'r eglwys newydd.

Ym 1870 sefydlwyd W. B. Marks yn weinidog y ddwy eglwys. Roedd ef yn bregethwr a darlithydd poblogaidd iawn, ac yn gerddor dawnus a chododd gôr cymysg llwyddiannus iawn. Sefydlodd gangen fywiog iawn o Urdd y Temlwyr Da a frwydrai yn erbyn alcoholiaeth, un o broblemau cymdeithasol mwyaf yr ardaloedd gweithfaol. Roedd y gweinidog yn un o arweinwyr mwyaf blaengar yr Urdd, a threfnodd orymdaith leol o gwmpas pentrefi'r cylch a barhaodd hyd ganol y 20au. Ym 1873, mewn ateb i her y gweinidog, aeth yr aelodau ati i glirio dyled o £140 ar gapel Siloa; ac fel petai hynny ddim yn ddigon, fe godwyd mans newydd yn Salem. Dyna fesur eu teyrngarwch a'u diolch am y cymorth a'r llawenydd a gaent o fewn i gymdeithas y capel.

Dilynwyd Marks gan nifer o weinidogion a gyfrannodd yn ddirfawr i fywyd ysbrydol pobl eu gofal ac na fuont ychwaith yn brin eu cyfraniad i fywyd yr ardal. Yr un a wasanaethodd hiraf oedd Llywelyn Morgan a fu'n weinidog yma o 1911 hyd 1927—cyfnod a welodd ryfel a diweithdra a diboblogi'n dinistrio pob cymdogaeth, ond bu yntau'n ddygn ei ofal a'i gyfraniad wrth feithrin ieuenctid yr eglwys drwy gyfarfodydd y Gobeithlu i ymarfer eu doniau'n gyhoeddus. Ym 1924 pan ddathlwyd canmlwyddiant sefydlu'r achos fe gyhoeddodd ef *Hanes Eglwys Salem Coedgruffydd.*

Bedair blynedd wedi ymddeoliad Llywelyn Morgan sefydlwyd Elias Jackson yn weinidog y ddwy eglwys. Gŵr cyfeillgar a'i wên barod yn arial i galon pawb oedd ef, a bu yma am bum mlynedd cyn derbyn galwad i'r Waunfawr yn Arfon. Ymhen blwyddyn ordeiniwyd

T. J. Roberts, myfyriwr o Goleg Caerfyrddin, a arhosodd yma hyd 1947. Yna, wedi bwlch o rai blynyddoedd yn ddi-weinidog, cymerodd y Parchg D. Gwyn Evans, Tal-y-bont ofal o'r ddwy eglwys, a phan ymddeolodd ef ym 1979, fe'u hychwanegwyd at gylchdaith y Parchg Irfon Evans, Llanbadarn Fawr.

Ym 1866 hefyd cododd y Methodistiaid Calfinaidd gapel Bethlehem, a phan ddathlwyd canmlwyddiant y ddau gapel ym 1966, yn gwbl nodweddiadol o'r ddau achos, fe wnaed hynny ar y cyd, fel y gwnaed lawer gwaith yn ôl yn y 30au! Cyhoeddwyd llyfryn yn gosod allan hanes y ddau gapel gan Mr Tegwyn Jones (Siloa) a'r Parchg Iorwerth Edwards (Bethlehem). Y mae Bethlehem bellach wedi'i gysylltu â Chapel y Garn, Bow Street ac o dan weinidogaeth y Parchg Elwyn Pryse.

Am nad oedd yr Eglwys Wladol gynt yn caniatáu claddu yn ei mynwentydd rywun nad oedd yn aelod eglwysig, trefnwyd mynwent, ymron yn ddieithriad, o gwmpas neu gerllaw pob capel ymneilltuol. Anfynych y diogelwyd cofrestri swyddogol gan y capeli fel y gwnaed yn ganolog gan yr eglwysi, ac am hynny y mae'n briodol cofnodi pob arysgrif a geir yn y mynwentydd hyn, nid yn unig er mwyn hwylustod y rhai sy'n dymuno hel achau, ond am fod yn fynych ar gerrig beddau wybodaeth ffeithiol nas ceir yn unman arall. Tua deng mlynedd yn ôl bellach cafwyd o hyd i ddarn o garreg arw ym môn clawdd hen fynwent Horeb ac arni arysgrif yn Saesneg sy'n cofnodi'n foel fod Rachel Esekiel wedi marw ar 26 Gorffennaf 1802, yn ddwyflwydd oed. Mae'n bur sicr mai Rachel oedd un o'r cynharaf a gladdwyd ym mynwent Horeb, ac mae ansawdd y garreg yn adlewyrchu tlodi ei theulu. Mae'n wir bod nifer o feddau heb gofebau, ond mewn bras gyfrif o'r cerrig beddau a geir yn y rhan hon o'r fynwent, y mae 25 allan o 118 ohonynt i fabanod o dan ddwyflwydd oed sy'n amlygu prinder affwysol adnoddau meddygol y dydd. Meddylier am foment am brofiadau dirdynnol Richard a Margaret Lewis a welodd gladdu pump o'u plant, sef: David, 5 Awst 1806 yn flwydd oed, Elizabeth, 13 Gorffennaf 1807 yn dair wythnos oed; Margaret, 3 Rhagfyr 1815 yn wyth mlwydd oed; Lewis, 4 Awst 1828 yn 27 oed; a David, 3 Ionawr 1835 yn 24 mlwydd oed.

Nid yw mynwent Horeb yn unigryw oherwydd yr un yw natur a chynnwys yr arysgrifau yn gyffredinol yng nghefn gwlad drwy ran fwyaf y ganrif ond fod yr ystadegau'n uwch o dipyn yn ardaloedd y gweithiau lle'r oedd dŵr yfed yn fynych yn amhur a'r teuluoedd yn fawr. Mewn cymdeithas mor gyfyng ei breintiau roedd tynged dyn a'i deulu yn anochel yn llawn anobaith. Ychydig o'r dynion a weithiai dan y ddaear oedd yn dianc rhag 'clefyd y frest' ac yn byw dros ei hanner canmlwydd. Clywir adlais o ddirni cyntefig yn rhai o englynion y beddau hyn, megis hwn i Catherine Jenkins a fu farw ym 1848 yn 38 mlwydd oed:

Gwêl o ddyn, derfyn dy daith—fel dyger
Dy degwch di ymaith;
I'r annedd hon ar unwaith
Dy oer le fydd daear laith.

Ond i fwyafrif y boblogaeth eu credo oedd eu cysur a'u gobaith, megis a geir yn yr englyn hwn ar garreg fedd Edward ac Anne Thomas a gladdwyd ym 1849 a 1819:

Mewn daear yr ŷm ein deuwedd, gwedi
Gadael byd a'i wagedd;
Ar air Iôr o'r oer annedd
Deuwn i farn—gadawn fedd.

Cynigiodd y capeli i'r bobl hyn fan cyfarfod cyfleus i ddysgu darllen, i wrando'n ddeallus ar bregeth, i drafod a meithrin barn yn yr Ysgol Sul, ac o fewn y seiat i ddysgu cyffesu'n agored ac i dderbyn disgyblaeth a chysur a chyngor eu cyd-fforddolion. 'Doedd ryfedd i'w harweinwyr ddysgu ysgwyddo cyfrifoldeb gan wasanaethu eu cymunedau mewn diwylliant a gwleidyddiaeth fel yr amlygir yn hanes llawnach Horeb a Salem.

Un o offeiriaid mwyaf blaengar yr hen sir Aberteifi yn y ganrif ddiwethaf oedd y Parchg John Pugh, Ficer Llanbadarn Fawr. Derbyniodd lwyddiant ymneilltuaeth o fewn ei blwy fel sialens bersonol iddo, ac fel gŵr ymarferol cydnabu mai'r unig ffordd i ymateb fyddai iddo drefnu cynnal gwasanaethau ym Mhenrhyn-coch. Felly, ym 1862 aeth i weld Syr Pryse Pryse, Gogerddan, i geisio'i gefnogaeth i'w gynllun i godi capel anwes yno gan ddadlau y byddai cael cynnal gwasanaethau yn lleol yn hwylustod mawr i staff y plas a oedd gan mwyaf yn ddi-Gymraeg. Cytunodd Syr Pryse noddi'r cynllun ar yr amod fod gwasanaethau Cymraeg hefyd i'w cynnal yn yr ysgoldy. Cyflwynodd y cae agosaf i ffald y Tŷ Mawr yn y Penrhyn ac addawodd gyflenwad digonol o gerrig o'i chwarel ger Lodge Park. At hyn oll addawodd annog ei denantiaid drwy'r ardaloedd cyfagos i gludo'r cerrig i'r safle'n rhad.

Un adeiladydd yn unig a gynigiodd am y gwaith, sef Roderick Williams, Aberystwyth, a derbyniwyd ei bris ef o £330. Ar 11 Awst aeth y Ficer i olwg y cae a gwylltiodd yn gacwn pan welodd fod ei hanner wedi'i aredig. Sgrifennodd ar ei union i gwyno wrth J. Graham Williams, asiant Gogerddan, a drefnodd fod hanner erw ar ganol y cae yn cael ei adael heb ei aredig fel na rwystrid y gwaith. A hynny a fu. Erbyn 21 Medi 1863 roedd yr ysgoldy'n barod i'w hagor, ac er na chysegrwyd mohoni, fe dderbyniwyd trwydded esgobol fel y gellid, yn ddidramgwydd, gynnal gwasanaethau ynddi.

Am y pedair blynedd cyntaf gwasanaethwyd gan y Parchg William Powell, curad Llanbadarn, a gafodd lety ym Mhenyberth. Fe'i dilynwyd yn eu tro gan saith o guradiaid newydd am dymhorau amrywiol o dri mis i dair blynedd!

Roedd y Ficer Pughe, mae'n amlwg, wedi blasu llwyddiant, a bellach, nid oedd dim a'i hataliai. Felly ym 1880 aeth eilwaith ar daith i Ogerddan i geisio am nawdd Syr Pryse i godi eglwys yn y Penrhyn, a chyda'r rhadlonrwydd hwnnw a oedd yn nodweddiadol ohono yn y gymdogaeth, ymatebodd yn fawrfrydig. Cyflwynodd y cae nesaf i'r ysgoldy yn rhodd i'r pwyllgor, a digon o gerrig o chwarel Lodge Park, a gloddiwyd gan William Edwards, Penrhyn-isaf, ar gyflog o ddeuswllt y dydd am ddau fis, a £4 am glirio'r rhwbel ar y diwedd. At hyn cyfrannodd Syr a'r Fonesig Pryse hefyd £773.3s tuag at gostau'r adeiladu. Y pensaer oedd R. J. Withers, Llundain a dderbyniodd £63 am ei gynllun, a'r contractor oedd Roderick Williams, Aberystwyth, gyda Daniel Hamer yn fasiwn. Cyfanswm y gost oedd £1094.3s. At hyn plannwyd y fynwent gan arddwyr Gogerddan, ac eto, i gyflawni'r rhodd, fel petai, adeiladodd Syr Pryse ficerdy ar gost o £700. Ar 14 Mehefin 1881 cysegrwyd yr eglwys i Sant Ioan y Difinydd, a phenodwyd y Parchg William Evans yn beriglor cyntaf yr eglwys newydd. Yn absenoldeb anorfod Esgob Tyddewi gwasanaethwyd gan yr Esgob Charles R. Alford, Victoria, Canada.

Ym 1920 gosodwyd *reredos* mewn marmor ac alabastr wrth gefn yr allor er cof am Syr Edward Webley Parry-Pryse, sydd gyda'r ffenestri lliw, ac ysgafnder cyffredinol yr adeilad yn ei gwneud yn un o eglwysi mwyaf atyniadol y sir.

Dau offeiriad a fagwyd yma oedd y Parchg George Blackwell, Glan'rafon a fu'n ficer yma rhwng 1893 a 1905 ac a gladdwyd ger llidiart y fynwent a'r Parchg Thomas Hamer a fu'n ficer Mynachlog-ddu hyd yn ddiweddar.

Mewn oes pan oedd y llysoedd yn greulon eu cosbau am dorri'r gyfraith fe anelai disgyblaeth yr eglwysi at drefn llai dialgar o drin pechadur, er y gallai eich torri allan o'r seiat fod, mewn cymuned fach, yn gyfystyr â'ch diarddel gan y gymdeithas leol seciwlar. Roedd ofn disgyblaeth eglwysig yn sicr o fod wedi cadw llawer un ar y llwybr cul. Clywais rai o genhedlaeth fy mam-gu yn adrodd am ddedfryd boblogaidd canol y ganrif ddiwethaf lle profwyd mewn seiat fod un aelod yn euog o enllibio cyd-aelod, iddi gael ei gorfodi i grasu 'bara ceiniogau'—tebyg i grempog—a'u rhannu'n bersonol i bawb y bu'n adrodd yr enllib wrthynt.

Un o broblemau cymdeithasol mwyaf y ganrif yn y pentrefi gweithfaol, lawn cymaint â'r trefi, oedd meddwdod, ac o gofio cynifer o dafarnau oedd yn y plwy, nid yw'n syndod i'r capeli lleol ymroi'n ddygn i gefnogi'r Mudiad Dirwest ac i roi lle blaenllaw i'r Gobeithlu neu'r *Band of Hope* ar gyfer hyfforddi'r plant. O fis Mehefin hyd Ragfyr 1837 trefnwyd ymgyrch arbennig ym mhentrefi gogledd y sir gyda chyfres o gyfarfodydd misol ym Mhenrhyn-coch, Bont-goch, Salem Coedgruffydd, Goginan, Ystumtuen, Trisant, a Chwmystwyth. Dosbarthwyd taflenni dwyieithog diddorol iawn megis 'Holwydd-oreg y Meddwyn' sy'n awgrymu maint y broblem. Erbyn Medi 1902 roedd y Cyngor Plwy o'r farn fod gormod o dafarnau yn y plwy a phenderfynwyd ceisio gan yr awdurdod trwyddedu gau nifer ohonynt. Felly y darfu am *The Three Horse Shoes* (Y Llythyrdy bellach) a'r *Miners' Arms,* ym Mhen-bont; ym 1917 caewyd y *New Inn* yng Nghwmerfyn, ac ym 1937 *Cwmsymlog Arms* (nawr Darren Villa), Pen-bont. Nid prinder cwsmeriaid fu'r rheswm dros gau'r *Farmers' Arms* yn y Penrhyn, ond ardystiad y drwyddedwraig i gefnogi'r Mudiad Dirwest yn Horeb! I'r neb sy'n cofio Mrs Elizabeth James, y Llythyrdy, nid yw'n syndod iddi benderfynu mai 'digon yw digon' ac iddi gau'r bar ei hun ar yr egwyddor ei fod o ddirfawr ddrwg i wragedd a phlant ei chwsmeriaid.

Roedd Pen-bont lawn mor adnabyddus am ei hapchwarae ag am ei diodydd. Ar un o'm mynych deithiau cerdded drwy'r pentre yn y 30au fe'm gwahoddwyd gan Mrs Annie Mary Evans i weld cawg bychan pren, gyda chaead, a llawr y cawg wedi'i lunio a'i liwio fel bwrdd *roulette* â gwerthyd (*spindle*) yn codi drwy'r caead i droelli'r bwrdd, a thwll bach yn y caead i dderbyn marblen a ddisgynnai i un o gyfres o gwpanau bach a oedd wedi'u rhifo. Yr enw arno oedd 'Bili Bach Fair Play'—enw sy'n awgrymu mai 'gŵr dod' oedd. Yn ôl pob hanes fe fwriodd llawer mwynwr ei segurdod yn ei gwmni. Clywais adrodd un hanesyn amdano gan Albert Williams, hen fwynwr a bardd gwlad oedd yn byw yn Salem, y tâl ei gadw. Tueddai etifedd un o ffermydd yr ardal dorri'i syched yn ormodol ar gwrw a *gin* nes tyfu'n fwyfwy heriol. Un noson o hydref ymunodd â dieithryn trwsiadus a eisteddai wrth ford yn y bar, ac wrth i wres y ddiod droi ei ben a magu ynddo hyder ffôl, galwodd ar 'Bili' i dorri'r amryfal ddadleuon a godai rhyngddynt. Wrth iddi dynnu at amser cau'r bar, sbiodd yn gegrwth ar y pentwr sofrenni a gollodd i'r gŵr dieithr. Bellach nid oedd ganddo gymaint â cheiniog goch, ond rhag siomi'i gynffonwyr mentrodd fwrw'i etifeddiaeth ar Bili. Trodd y werthyd yn ffyrnig rhwng bys a bawd nes codi'r caead gan adael i'r farblen dasgu o'r cawg bach a disgyn wrth ei draed. Plygodd yntau i'w chodi, ond rhewodd yn ei gwrcwd pan welodd gyferbyn ag ef o dan y bwrdd ddwy droed gafr. Pan gododd ei olygon roedd 'y diafol' wedi ffoi gan adael o'i ôl bentwr o ddail yr hydref!

Diwedd y gân fu imi drefnu prynu 'Bili' ar ran yr Amgueddfa Genedlaethol—a bellach mae'n un o greiriau Amgueddfa Werin Sain Ffagan. Er imi fynd ar drywydd efaill i Bili yng nghyffiniau Goginan, ni ddaeth i'r fei!

Cyn bod Gwladwriaeth Les ein dyddiau ni i ofalu am y claf a'r clwyfus, byw ar drugaredd teulu a chymdogion a wnâi pob penteulu a gollai waith oherwydd salwch, oni bai ei fod yn perthyn i un o'r Cymdeithasau Elusengar a gaed yn y wlad. Un o gymwynasau mawr eglwys Horeb yn y cylch hwn oedd cychwyn Cymdeithas Gyfeillgar Penrhyn-coch mor gynnar â 31 Rhagfyr 1829. Yn anffodus ni chadwyd (hyd y gwn) ond un daflen sy'n rhoi cyfrifon y Gymdeithas am y flwyddyn 1890, ac ar honno rhoddir dyddiad ei sefydlu. Un o aelodau mwyaf pybyr Horeb yn nechrau'r 19 ganrif oedd Enos Williams y gof, ac yn ôl traddodiad ar lofft yr efail y cynhaliai'r Gymdeithas ei chyfarfodydd. Ni wn pryd y darfu amdani—rhywdro ar droad y ganrif hon.

Un o'r Cymdeithasau Cyfeillgar mwyaf llewyrchus ym Mhrydain oedd yr Odyddion, sef *The Independent Order of Oddfellows, Manchester Unity, Friendly Society* a agorodd gangen yn Aberystwyth ym 1839 yn dwyn yr enw *St David's Lodge.* Ymhen tair blynedd ffurfiwyd ail gangen yn y dre a'i galw'n *Rheidol Lodge,* a'r un flwyddyn sefydlwyd *St. John's Lodge* ar lofft y *Farmers' Arms* yn y Penrhyn. (Mae'n bur debyg mai mabwysiadu'r enw hwn a wnaed pan gysegrwyd yr eglwys leol ymron ddeugain mlynedd yn ddiweddarach.) Mae'n anodd deall paham y dewisodd yr Odyddion gychwyn ymgyrch cefn gwlad yn y Penrhyn gan fod yma Gymdeithas eisoes. Efallai fod gan y swyddogion cyntaf gyswllt ag Eglwys Llanbadarn a'u bod o'r farn nad oedd y Gymdeithas leol yn ddigon cefnog.

Digon tebyg oedd amcanion ac amodau aelodaeth y ddwy Gymdeithas. Ym 1893 os oedd yr aelod yn ddiddyled ei danysgrifiadau derbyniai yn ystod cyfnod o salwch symiau yn amrywio o 1s.8c y dydd hyd at 6c. Ar ei farwolaeth derbyniai ei deulu £9 tuag at ei gostau claddu, a £4.10s yn achos ei wraig. Erbyn 1904 roedd yr Odyddion hefyd mewn ffordd i dalu briwsionyn o bensiwn i aelodau heibio 65 oed. Mae'n ddiddorol sylwi fod aelodau (neu rywun ar eu rhan) yn parhau i dalu eu tanysgrifiadau hyd yn oed wedi iddynt ymfudo o'r ardal, ac yn derbyn y taliadau dyledus iddynt, e.e.

	David Evans, Ffestiniog	43 dyddiau @ 1s.8c	£3.11s.8c
	David M. Richards, Australia	19 dyddiau @ 1s.8c	£1.11 .8
	Robert Uren, America	72 dyddiau @ 1s.6c	£5. 8 .0
	John James, Blaen-cwm	20 dyddiau @ 1s.4c	£1. 6 .8
1894	Robert Uren, Aberystwyth	72 dyddiau @ 1s.6c	£5. 8 .0
	Lewis Mason, S. Wales	13 dyddiau @ 1s.6c	£ 19 .6

Roedd gan y ddwy Gymdeithas eu band pres ac unwaith y flwyddyn cynhelid dydd o uchel ŵyl pan gerddai'r Clwb o'r Sgwâr i Blas Gogerddan i giniawa. Ar y blaen gyda sash sidan dros ysgwydd a ffedogau i'r drymwyr, martsiai'r band yn ei holl ogoniant gan ddeffro'r cwm o Lety-Ifan-hen i draethau Clarach. Tua 1950 mi drewais ar rai o'r ffedogau hyn a chytunodd eu perchen, y ddiweddar Mrs M. J. Davies, Bryntirion, eu cyflwyno i'r Amgueddfa Werin.

Ceir awgrym o'r diboblogi a fu yn yr ardal oddi wrth ystadegau aelodaeth yr Odyddion: 1893-170; 1901-155; 1915-137; 1920-120; 1927-84; 1934-56.

Dywedwyd eisoes bod gweithredoedd Horeb yn caniatáu cadw ysgol yn y capel, a phan ddaeth Samuel Breeze i'r Penrhyn i gadw ysgol ddyddiol mae'n sicr mai yno y bu. Clywais draddodiad fod rhywun rywdro wedi agor ysgol dros dro ar lofft efail Enos Williams ond ni welais dystiolaeth i gadarnhau hynny. Erbyn 1847, fodd bynnag, dim ond Ysgol Sul oedd ar gael yn Horeb a Salem. Gwyddom i Evan Pughe Cwmcanol godi ysgoldy ym Mhen-bont ym 1868 a thalu'n wythnosol i athro o gyfeiriad Cwmystwyth ddyfod drosodd i ddysgu'r mwynwyr a'u plant. Yn ddiddorol iawn yng nghyfrifiad 1871 cofnodir bod John Williams, 14 oed o Gwm Darren, yn athro disgybl. Ai yn yr ysgoldy gerllaw y derbyniai hyfforddiant, neu hefo C. J. Ivory ym Mhenrhyn-coch?

Dywedir i ysgoldy'r eglwys yn y Penrhyn agor ei ddrysau i addysg ddyddiol ym 1865 gyda gŵr o'r enw—Davies yn athro yno. Boed a fo am hynny, gwyddom i Charles John Ivory gymryd gofal o'r ysgol cyn 1871 a chael ei dalu ar y cychwyn gan deulu Gogerddan. Yn *Y Faner* (11 Chwefror 1871) ceir hanes cyfarfod arbennig a gynhaliwyd yn yr ysgoldy i drafod sefydlu ysgol gynradd yn unol â gofynion y ddeddf addysg newydd, sy'n amlygu dau safbwynt cwbl bendant.

Mae'n amlwg fod ficer Llanbadarn Fawr, y Parchg John Pugh, yn benderfynol o adennill peth, o leiaf, o'r dylanwad lleol a gollwyd gyda dyfodiad a thwf ymneilltuaeth. Â'i lygad yn ei ben, roedd wedi symud yn gyflym i gael gan ei aelodau gytuno mewn festri i sefydlu ysgol genedlaethol. Golygai hynny mai o dan nawdd yr eglwys y byddai'r ysgol, gyda mwyafrif y llywodraethwyr yn eglwyswyr, bod gofyn i'r prifathro fod yn eglwyswr, a bod y plant i'w hyfforddi yn y catecism. Roedd hyn yn gwbl wrthun gan yr ymneilltuwyr, a chodwyd deiseb gan hanner cant o drethdalwyr y capeli yn hawlio cyfarfod cyffredinol i ailystyried y mater, gan mai 'festri' cyfyngedig i aelodau'r eglwys yn unig oedd wedi penderfynu o blaid ysgol fwrdd o dan lywodraeth yr Eglwys.

Ar ran y deisebwyr siaradodd y Parchg Isaac Jones, gweinidog Horeb, a fynnodd nad oedd gan y Ficer hawl i bleidleisio gan mai trethdalwyr lleol oedd i benderfynu'r achos, ond nad oedd wrthwynebiad iddo fynegi'i farn. Hawliai'r Parchg John Pugh fod lle yn yr ysgol i dderbyn 132 o blant a bod hynny'n ddigonol i ateb y galw, ac mai cymysgedd a ddilynai cael ysgol fwrdd gan 'y byddai pob enwad â llais yn llywodraethu honno, gydag anhrefn parhaus'. Gallai'r bwrdd (meddai) benodi ceisbwl (*whipper-in*) i orfodi plant i fynd i'r ysgol, gan gynnwys bachgen y weddw a fyddai'n ei chynorthwyo i gadw'r teulu. Darllenodd lythyr oddi wrth Syr Pryse Pryse yn gofidio am y sôn i godi ysgol newydd ym Mhen-bont gan y golygai hynny godi treth

Ysgoldy Pen-bont Rhydybeddau.

newydd ar y trigolion—peth cwbl afresymol yn ei farn ef. Yn hytrach na hynny, meddai, os oedd y ddarpariaeth a gynigid yn annigonol, yr adeiladai ef, ar ei gost ei hun, ysgoldy newydd ym Mhen-bont—neu'n uwch i fyny'r plwy—i fod dan reolaeth lwyr pump o bersonau, sef tri ymneilltuwr, a dau o'i ddewis ef ei hun, ar yr amod fod yr ysgol yn cael ei harholi gan arolygwr y Bwrdd Addysg.

Gwrthwynebwyd hynny gan y Cadeirydd (John Richards, Brogynin-fawr) gan y gallai perchen y fath ysgol ei throi'n ysgol genedlaethol (eglwysig) pe mynnai 'ac mai dim ond ysgol fwrdd allai fod yn gwbl rydd'. Ychwanegodd James Mathias ('Goronwy Ddu o Geredigion') i'r ymneilltuwyr fethu cael tir at godi ysgol. Pleidleisiodd y mwyafrif llethol o blaid cael ysgol fwrdd, gyda saith yn unig yn erbyn. Eto, nid ildiodd y Parchg John Pugh ddim. Ar y llaw arall roedd ymneilltuwyr yr ardal lawn mor argyhoeddedig ag yntau, ac yn fwy parod nag y tybiodd ef i ddwyn baich eu hargyhoeddiadau.

Yn ôl y Bwrdd Addysg roedd 365 o blant dan 13 oed yn y plwy, ac awgrymwyd y dylid codi ysgol fwrdd rywle tua'r canol—sef Cwmsymlog. Barn y pwyllgor lleol, fodd bynnag, a orfu, ac ym 1873 codwyd ysgol a thŷ i'r ysgolfeistr ar dir Maesmeurig ar gost o £1009.19s.10c. Cloddiwyd y cerrig ar gyfer yr adeilad o chwarel Cwmsebon.

Hysbysebwyd swydd prifathro ar gyflog o £100 y flwyddyn a thŷ di-rent. Er i dri Chymro yn eu tro gael eu penodi i'r swydd, ni dderbyniodd yr un ohonynt, gan ddewis yn hytrach fynd i ysgolion ar lannau Merswy, a gadael Trefeurig i William Spurway o Wincanton ger Caerfaddon. Fe benodwyd, yn ogystal, dri disgybl-athro ar gyflog o £8 y flwyddyn. Un ohonynt oedd Morgan Williams, Garth, a fu wedyn, am flynyddoedd, yn brifathro llwyddiannus iawn yn Arthog ger y Bermo, fel y tystiwyd ddydd ei angladd yn Horeb gan yr Athro R. O. Davies, Aberystwyth.

Ar y cychwyn roedd yn rhaid i'r plant dalu am eu haddysg, ac er bod amrywiaeth rhwng ysgolion, dyma oedd yn Ysgol Trefeurig: babanod a'r ddau ddosbarth cyntaf, 1c yr wythnos; 3ydd dosbarth, 1½c; 4ydd dosbarth, 2c; 5ed dosbarth, 3c; a'r 6ed dosbarth, 4c.

I ysgol Trefeurig y cerddai mwyafrif plant yr ymneilltuwyr hyd yn oed o'r Penrhyn am rai blynyddoedd, ond yn raddol gwnaed defnydd cynyddol o adran cydwybod y ddeddf addysg a ganiatâi i blant ymneilltuwyr 'golli' gwers y catecism. Sut bynnag, enillodd y ddau ysgolfeistr eu plwy, ac wrth iddynt gadw ysgolion nos i oedolion, daeth bywyd newydd i'r plwy.

Yn ôl cofrestri'r ddwy ysgol roedd llawn cymaint o'r plant yn gadael i weithio yng ngweithiau mwyn yr ardal ag a âi yn weision a morynion ar ffermydd yr ardal. Roedd hefyd yn gyfnod pan ymfudodd llawer iawn o deuluoedd i America a chymoedd de Cymru.

Saesneg oedd cyfrwng yr addysg yn y naill ysgol a'r llall, ond pan drawyd C. J. Ivory yn wael yn niwedd 1901 fe alwodd yr Arolygwr Thomas Darlington (a ddysgodd Gymraeg) heibio'r athrawes dros dro—Mrs Victoria Welch—gan gymeradwyo'n gryf 'the teaching of Welsh in the lower standards'. Nid oedd y sefyllfa ieithyddol fawr cryfach yn Nhrefeurig ond yno fe ddethlid Gŵyl Ddewi trwy ganu alawon Cymreig ac adrodd barddoniaeth Ceiriog a'i gyfoeswyr, a olygai o leiaf bod amser wedi'i neilltuo i'w dysgu. Sonia John Owen Jones wrth ymddeol o Drefeurig ym 1922, mor bwysig i blant cefn gwlad oedd cael eu hyfforddi i werthfawrogi'r amgylchedd a chofnoda i'r plant hynaf gael ymweld â'r murddun ym Mrogynin ar 26 Medi 1913 er mwyn gwybod ychydig am Ddafydd ap Gwilym!

Yng nghofnodion Jane Jones a ddilynodd Mrs Welch clywir adleisiau o hen gymdeithas ac arferion sy bellach wedi hen ddiflannu, megis pan gyhoeddid diwrnod o wyliau ar gais Syr Edward Pryse fel y gallai'r bechgyn ddilyn y cŵn llwynog o sgwâr y Penrhyn, neu bwnio perthi ar ddiwrnod saethu, neu fynd i'r preimin troi yng Ngogerddan.

Rhydd y llyfrau lòg cynnar gip inni ar fyd a ddarfu, ac ar y newidiadau bychain hynny a ddengys cymaint y newid a fu ar arferion pobl yn ystod y ganrif hon. Ym 1905, er enghraifft, sonia Jane Jones iddi dderbyn tri darlun (i'w gosod ar wal yr ysgol fel adnoddau addysgol) a dwsin o lechi i'r plant ddysgu sgrifennu a gwneud symiau; ac ym 1913 fe gyfleir peth o'r ias a ddaeth i fywyd cefn gwlad gyda dyfodiad y modur cyntaf: 'I am compelled to go to town (to the Education Office) this morning . . . I shall not be absent more than half an hour as I am going in a motor-car'. Heb y car fe olygai absenoldeb o fore llawn, fan lleiaf.

Ym 1905 y penodwyd John Owen Jones yn olynydd i William Hamer, a phan ymddeolodd ym 1922, wedi 42 mlynedd fel athro, cwynai am y cynnydd dirfawr a welodd yn ddiweddar yn nifer y pynciau a ddysgid mewn ysgolion cynradd. Ond peth i'w groesawu oedd hynny gan ei olynydd ef, Daniel Jones, a ddangosodd braidd ormod o afiaith, yn ôl rhai, wrth iddo ymestyn cwricwlwm y plant hŷn i gynnwys gwaith llaw (coed a basgedi), coginio i'r merched, cerddoriaeth (gyda chôr plant), llên gwerin lleol, garddio, yn ogystal â llwyfannu dramâu byrion ar gyfer cyngherddau'r ysgol. Mor gynnar â gaeaf 1924/5 trefnodd fod cawl ar gael am geiniog y pen wedi'i baratoi gan rai o famau'r plant. Cyfrannai'r ffermwyr sacheidiau o lysiau am hanner diwrnod o hela cerrig! Naws cwbl Gymreig oedd i'r ysgol ar ôl 1922, a thros y blynyddoedd llwyddodd yn hynod effeithiol i ddysgu trwy gyfrwng y Gymraeg y mewnfudwyr uniaith niferus a ymgartrefodd yn y cylch wedi'r rhyfel. Yn y 70au bu bygythiad i gau'r ysgol oherwydd nifer bach y disgyblion, ond bellach diogelwyd y sefyllfa.

Yn fuan wedi'r Ail Ryfel symudodd Daniel Jones i Lundain a dilynwyd ef gan Mrs Carona Roberts a ymestynnodd gyfraniad addysgol yr ysgol yn y gymdeithas leol trwy drefnu dosbarthiadau nos llewyrchus iawn o dan nawdd Adran Allanol Coleg y Brifysgol, Aberystwyth.

Ym Mhenrhyn-coch penodwyd Rees Jones ym 1927 yn olynydd i Jane Jones, ac ymhen dwy flynedd o dan ddylanwad y drafodaeth genedlaethol a darddodd o Adroddiad y Bwrdd Addysg (*Y Gymraeg mewn addysg a bywyd*) cafwyd naws fwy Cymreig yn yr ysgol. Am y tro cyntaf yn ei hanes dathlwyd Gŵyl Ddewi ym 1928 trwy gynnal eisteddfod, ac ymhen blwyddyn cofnodir mai'r nod fyddai dysgu trwy gyfrwng y Gymraeg, yn nosbarth y babanod, a dysgu Saesneg o Safon I ymlaen. Cynhaliwyd arbraw wythnos o ddysgu pob pwnc trwy gyfrwng y Gymraeg y flwyddyn honno ond nid oes sôn am y canlyniadau nac am ddilyniant. Nid amcanodd Rees Jones at rychwant cwricwlwm mor amrywiol lydan ag a gaed yn Nhrefeurig.

Un anfantais i brifathro Penrhyn-coch oedd bod disgwyl iddo drefnu casglu cronfa er mwyn sicrhau gwelliannau yn yr ysgol, megis pan brynwyd piano gwerth £44.2s (neu 42 gini) ar 20 Tachwedd 1928, ar ddau daliad—yr ail i'w dalu ar ôl cynnal 'ffair nesaf yr ysgol'. Ar nos Gŵyl Ddewi 1929, bu Daniel Jones, Columbia, yn arddangos lluniau â'i *'portable cinematograph'*, pan wnaed elw o 15s.3c i gronfa'r ysgol. Eto, ar 7 Mai 1930, cynhaliwyd gyrfa chwist er mwyn talu £2.7s yr un am ddwy lamp-olew crog, a dwy lamp fach gwerth 4s.9c yr un, i oleuo'r ysgol.

Dilynwyd Rees Jones ym 1964 gan Alun Williams a welodd godi ysgol fwrdd newydd ar Gae Baker a brynwyd gan y Cyngor Dosbarth pan werthwyd ystad Gogerddan. Mr Williams oedd un o sylfaenwyr brwd y Clwb Pêl-droed lleol, a roddodd lawer ias o gyffro i ddynion ifainc y fro.

Ar 13 Rhagfyr 1894 y cyfarfu'r Cyngor Plwy (bellach y Cyngor Cymuned) am y tro cyntaf a threfnwyd, er mwyn osgoi unrhyw broblemau cychwynnol, wahodd Capt. Roberts o waith Cwmerfyn i gadeirio'r cyfarfod. Ar gynnig Edward Lewis, Bronfeurig, a eiliwyd gan Thomas Williams, Darren Bank, cytunwyd yn unfrydol fod gweithrediadau'r Cyngor i'w cynnal yn Gymraeg, fel y disgwylid mewn cymuned gwbl Gymraeg. Yna etholwyd David James, Llythyrdy Penrhyn-coch yn is-gadeirydd, Elias Jenkins, Penrhyn-coch yn ysgrifennydd, a Richard W. Lewis, Siop Salem, yn drysorydd.

Am flynyddoedd lawer, pennaf waith y Cyngor fu ymgodymu â'r waddol salw a adawyd gan y cwmnïau a fu'n hufennu'r arian o weithiau a oedd yn cyflym ddarfod. Ym 1895 roedd treth o 1c yn y bunt yn codi £10, ond erbyn 1914 ni chodai ond £7. Ym 1908 cytunwyd 'fod y gwahanol dai gweigion yn cael eu tynnu allan o gyfrifon y plwy' gan nad oedd elw i'w gael oddi wrthynt. Fe ymddengys bod llawer teulu wedi ymfudo heb allu gwerthu eu tai, gan eu gadael â'u drysau'n agored i'r pedwar gwynt!

Roedd angen dirfawr gwella'r ffyrdd rhychiog a redai ar draws y plwy hirgul, ac er i ystad Gogerddan dalu cost darn o ffordd newydd i Gwmsymlog, am y gweddill—o'r Royal Oak i Lechweddmor ar ffin sir Drefaldwyn—bu'n rhaid i'r Cyngor Plwy gyflogi dynion, di-waith fynychaf, am ddiwrnod ar y tro ar gyflog o 6s.8c y dydd ym 1921, i drwsio'r ffyrdd ac i gynnal y pontydd troed. Y broblem anoddaf o ddigon oedd diogelu'r siafftau agored a oedd yn berygl bywyd i ddyn ac anifail, a pheryglon megis Pwll y Rhod yng ngwaith y Darren.

Ym 1904 ystyriwyd codi pont ar draws y rhyd ger Ty'n-gelli ar gost o £66—y plwy i dalu'r drydedd ran, ond oherwydd diffyg ymateb bu'n rhaid aros ugain mlynedd cyn gwireddu'r bwriad, er i Thomas Mason a redai'r brêc-ceffylau i Aberystwyth gynnig cyfraniad personol. Yna ym mis Mai 1924 aed ati o ddifri, ond o dan amodau sy'n taro dyn yn chwithig iawn ar ddiwedd y ganrif. Hyd yn oed yn ystod y blynyddoedd rhwng y ddau ryfel roedd disgwyl yng nghefn gwlad i'r trethdalwr unigol gyfrannu'n arbennig am bob gwelliant cyhoeddus o fewn i'w gymuned, ac mae ei barodrwydd i wneud hynny'n adlewyrchu cryfder y cwlwm cymunedol a'i clymai. Felly yn achos pont Ty'n-gelli dewisodd y Cyngor Plwy chwech o gasglyddion ar gyfer pentrefi'r plwy a'u cylchoedd (yn ogystal â chyfeillion yn Aberystwyth) a gasglodd £19.5s.9c, a threfnwyd bod James Mason, Cwmisaf, a William Morgan, Llety-caws, yn trefnu certi i gario cerrig o ben ucha'r plwy, a Richard Evans, Cwmbwa, a William James, Penbanc, i ofalu am yr un gwasanaeth yn hanner isa'r plwy. Y Cyngor Dosbarth, fe ymddengys, a fu'n gyfrifol am y trawstiau dur, ond fe benderfynwyd hefyd 'fod y personau sydd yn segur yn y cylch i gael gwaith ar y bont yn gyntaf, *a bod pob gweithiwr i roi un diwrnod o waith yn rhad'!* Fe godwyd pont newydd ym 1991 yn llwyr ar draul Cyngor Ceredigion—dyna fesur y datblygiad a fu mewn llywodraeth leol.

Diffyg cyflenwadau o ddŵr glân i'r pentrefi a bwysai drymaf o ddigon ar y Cyngor, ond yma eto, lle y gweithredwyd, bu'n ofynnol i'r pentrefwyr eu hunain gyfrannu tuag at y draul. Er enghraifft, roedd gofyn i drigolion y Garth a Phenrhyn-canol gario dŵr glân naill ai o'r ffrwd a redai drwy ardd Cwmbwa, neu o'r ffynnon yn y cwm islaw'r tŷ. Ym 1901 cytunwyd mai peth da fyddai gosod cawg haearn, a elwid ar lafar 'y bosh', i gronni'r dŵr o'r ardd, er mwyn hwyluso llanw piser a bwced. Costiodd y cawg £1.4s.2c, ond bu'n ofynnol i'r naill bentre gasglu 10s.6c a'r llall 4s.1c at y draul. Yn yr un modd ym Medi 1910 gwnaed cais gan bentrefwyr Cwmerfyn a'r Darren am well cyflenwadau o ddŵr, ond am fod y gost a amcangyfrifwyd gan y Cyngor Dosbarth yn llawer rhy uchel yn eu golwg bu'n ofynnol i'r Cyngor Plwy wneud a allai.

Efallai mai'r enghraifft glasurol oedd yr hyn a ddigwyddodd ym 1931 pan gododd pentrefwyr y Garth gŵyn ynglŷn â'r pellter yr oedd gofyn iddynt gario dŵr glân. Lawer gwaith o'r blaen gwnaed cais i'r Cyngor bibellu'r dŵr o Gwmbwa i gyrion y pentre ond ni fu'r pentrefwyr yn ddim elwach eu potes! Ym 1931 cafwyd ateb gan y Cyngor Dosbarth y golygai gost o gwmpas £415, ac felly, benthyciad o £450 gan y Bwrdd Iechyd i'w ad-dalu dros gyfnod o 30 mlynedd trwy godi treth arbennig o swllt y bunt ar y pentrefwyr. Gwrthodwyd y cynnig, ac yn ei le gofynnwyd i'r Cyngor gyfrannu'r defnyddiau, megis pibellau, tapiau, a.y.b.; cyfrannodd y pentrefwyr £1 yr aelwyd, a gorffennwyd y gwaith o bibellu'r dŵr o ffynnon y cwm i ben lôn y Felin (is-law'r Neuadd) mewn mater o wythnosau yn ystod haf 1932 ar gost o tua £150! Nid rhyfedd i'r pentrefwyr, yn hen ac ifanc, lawenhau pan agorwyd y tap am y tro cyntaf!

Brêc John Magor: i'r Borth wedi'r cynhaeaf, tua 1910.

Ym 1934 cymerodd y Comisiwn Coedwigo luest Bryn-mawr, uwchlaw Penrhiwnewydd, i ddechrau plannu coed yn yr ardal—yn rhannol am fod y tir yn eiddo'r Goron, a bod llawer o ddynion ym mhentrefi'r ardal yn ddi-waith. Erbyn 1942 roedd cynifer â 44 yn gweithio yma i'r Comisiwn, ond y tristwch yw na chododd un math o ddiwydiant coed yn y plwy a allai fod yn fodd i gadw'r bobl ifainc o fewn yr ardal a'u meithrin i ddysgu crefft.

Un o'r deddfau a ddylanwadodd fwyaf ar fywyd cefn gwlad, er drwg a da, fu sefydlu ysgolion cyfun yn unol â gofynion Deddf Addysg 1944. Ar y naill law symudwyd plant hŷn yr ysgolion cynradd gan wanychu niferoedd yr ysgolion bach a pheryglu eu dyfodol. Ar y llaw arall agorai lwybrau hyfforddiant i blant y wlad cystal â'r hyn a fu erioed ar drothwy plant y trefi. Llawn mor bwysig oedd i'r drefn addysg newydd olygu cychwyn gwasanaeth bysiau dyddiol mewn cyfnod pan nad oedd ceir mor gyffredin ag ydynt heddiw.

Y dynion a gariai'r mwyn o'r gweithiau i borthladd Aberystwyth a gychwynnodd hefyd gludo pobl i'r dre mewn brêc-ceffylau. Eu gwendidau pennaf oedd eu bod yn agored i bob tywydd, a bod gofyn i bawb oedd yn iach ddisgyn a dringo pob rhiw ar y ffordd. Y tri gŵr a redai wasanaethau felly oedd Thomas Mason, Cwmcanol, John Magor, Penyberth, ac Abraham Jones, Tan-ffordd, Salem.

Yng nghofnodion y Cyngor Plwy am 18 Ebrill 1914 ceir un cyfeiriad sy'n dipyn o ddirgelwch, sef 'bod llythyr o gymeradwyaeth i'w yrru i *fanager* y Corris Motor Co, am y modd deheuig a phwyllog y gyr ei fodur ar hyd y ffyrdd culion a thrwy y pentrefydd yn y plwy'. Fe gofia'r genhedlaeth hŷn am y cwmni hwn yn rhedeg o Fachynlleth i Aberystwyth mor ddiweddar â'r 30au, ond ni wyddwn ei fod wedi gwasanaethu plwy Trefeurig cyn y Rhyfel Byd Cyntaf.

Yn union wedi'r rhyfel fe ddaeth dyddiau'r brêc i ben pan ddechreuodd James Mason, Cwmisaf a John B. Morgan, Brynhyfryd, Penrhyn-coch wasanaeth modur modern i'r plwy. Nid bws yn ein hystyr ni heddiw oedd bws bach y wlad yn y 20au, ond lorri fechan gan Ford, o'r fath a brofwyd gan y lluoedd arfog, gyda tho o gynfas symudol, a seddau coed ar draws y gellid eu tynnu er mwyn addasu'r bws at gludo nwyddau, megis glo, o stesion Bow Street i'w gwerthu yn y pentrefi, neu goed ac ati o Aberystwyth. Oherwydd yr amryfal ddefnydd a wnaed ohono, golygai ei bod yn ofynnol golchi'r cerbyd yn lân cyn ei drosi'n fws i gludo pobl ar ddyddiau Llun, Iau a Sadwrn! Erbyn tua

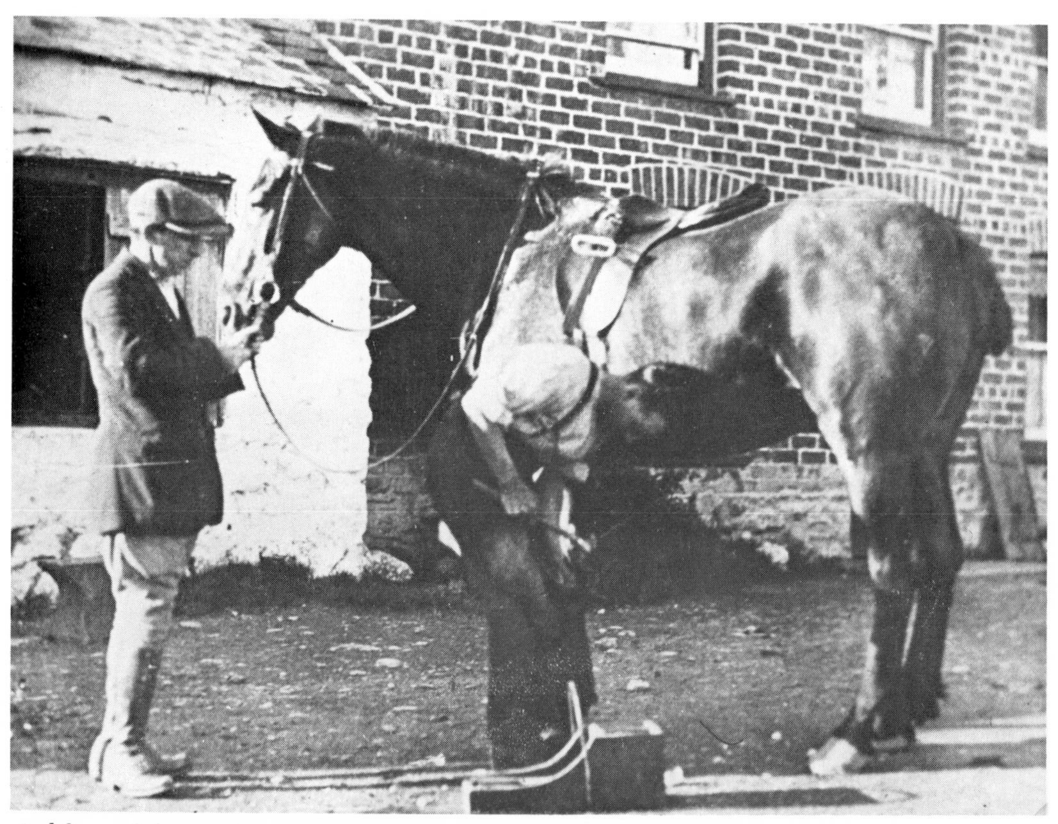

Pedoli yn efail y Penrhyn tua 1930.

chanol y 30au roedd James Mason yn rhedeg *charabang* a dilynwyd ef gan gwmni o'r dre; ac yn achos John Morgan, fe gyrhaeddodd bws trefol go iawn, a werthwyd wedi'r Ail Ryfel i Mr David Evans y Bwthyn, a ddatblygodd y fusnes fel bod bysiau Penrhyn-coch heddiw yn crwydro'r cyfandir heb orfod pryderu'n ormodol am lonydd cul Ffrainc a'r Eidal a Sbaen!

Erbyn heddiw y mae o leiaf un modur ym mhob tŷ ymron, ond cyn yr Ail Ryfel, ar ei feic (neu gerdded) yr âi pob dyn at ei waith i'r dre—a cherdded i ddal trên yn Bow Street neu fws ger Ffynnon Garadog a wnâi pob plentyn o'r Penrhyn a fynychai'r Ysgol Sir!

Pan oedd y rhyfel yn tynnu at ei derfyn, a phawb yn dechrau cynllunio amgenach byd, un o'r testunau a drafodwyd yn fynych gan y Cyngor Plwy, gydag anogaeth y Cynghorwr Dosbarth, John Thomas, Trawsnant, oedd y galw am godi tai yn y Penrhyn. Felly, pan ddaeth amgenach byd, fe sicrhaodd y Cyngor Dosbarth ddarn o Cae Llain a chodwyd arno ddeuddeg o dai modern ym 1949, a alwyd yn Maes Seilo. Dyna fu cychwyn y tyfiant mwyaf a welwyd yn hanes y Penrhyn.

Bu ymateb y Cyngor Dosbarth i ofynion cefn gwlad yn glir a chadarn wedi'r Ail Ryfel, ond yn hanes y Penrhyn roedd hefyd elfen bwysig arall. Fel y dywedwyd eisoes, daeth yn ben tymor y plasau a'r ystadau mawr. Gwerthwyd Gogerddan a darn helaethaf ei thiroedd i Goleg y Brifysgol, Aberystwyth, yn bennaf er mwyn sicrhau cartref teilwng i'r Fridfa Blanhigion fyd-enwog. Gweledigaeth y Prifathro Ifor L. Evans oedd rhoddi amgenach cyfle i'r Fridfa ddatblygu nag oedd yn debyg o ddigwydd ar Ben-glais, yn arbennig yn wyneb y bwriad i ehangu'r Coleg. Fodd bynnag, cyn cytuno i'r gwerthiant darbwyllwyd Syr Pryse Loveden Pryse-Saunders—y sgwïer olaf—fod pob tenant yn cael y cyfle cyntaf i brynu ei fferm (neu gaeau) yn breifat yn hytrach na chystadlu ar y farchnad agored. Felly y prynodd Mr Cyril P. Jenkins ddarn o'r hen Gae Mawr a ddaliwyd gan ei deulu am dair cenhedlaeth, ac ato ychwanegwyd y Tŷ Mawr a'r tiroedd perthynol a oedd ar y pryd yn nwylo'r diweddar Jack Jones, y porthmon, a agorodd y pwmp petrol cyntaf ar gyntedd yr hen ffald.

Yna, ym 1960 fe godwyd Maesaleg—y tŷ cyntaf i'w godi ar Cae Mawr—a dyna ddechrau adeiladu na welwyd eto mo'i ddiwedd. (Yr unig dŷ a godwyd yma rhwng y ddau ryfel—ym 1927—oedd Ceirios ym Mhenrhyn-canol, i John Richards, tad-cu John ac Arwyn Richards.) Yn eu tro adeiladodd Mr C. P. Jenkins ystadau Cae Mawr, Glanstewi, Ger-y-llan, a Nantseilo.

Yr un modd prynwyd Melin Cwmbwa gan Joseph Thomas ac yn y man ffurfiodd tri o'i feibion—Mri Henry, Eric a'r diweddar Edmund Thomas—gwmni annibynnol a gododd yn gyntaf Maesyfelin, a ddilynwyd gan Glan-ffrwd, Maesyrefail, Glanceulan—ac i'r Cyngor Dosbarth, Tan-y-berth. Fe godwyd nifer o dai unigol yn ogystal, ac er i'r dirwasgiad ym 1991 effeithio ar bob adeiladu, diau nad dyma'r diwedd.

Yn ei dro, effeithiodd yr holl adeiladu hyn yn drwm iawn ar natur ac ansawdd y fro a'r gymdeithas. Teuluoedd di-Gymraeg bellach yw mwyafrif y rhai sy'n byw yn holl bentrefi'r plwy, ond rwy'n meddwl ei bod yn deg dweud fod mwy o Gymry Cymraeg yn byw yma nag a fu gynt. Denwyd i fyw yma lawer iawn o wŷr a gwragedd proffesiynol sy'n gweithio yn y Fridfa, Coleg y Brifysgol, y Llyfrgell Genedlaethol, y Cyngor Llyfrau, Ysbyty Bronglais a.y.b., ac y mae plant y ddwy ysgol gynradd yn troi'n Gymry rhugl a fydd yn ymfalchïo yn hanes a thraddodiadau bro Dafydd ap Gwilym.

Cyn i'r Ail Ryfel ddarfod penderfynodd nifer o bobl ardal Penrhyn-coch fod mawr angen neuadd bentref, ac aed ati ar unwaith i gychwyn codi cronfa. Ar un olwg roedd yn benderfyniad mentrus i ardal mor denau ei phoblogaeth ac mewn cyfnod pan nad oedd grantiau llywodraeth. Roedd chwe blynedd o ryfel wedi atal pob adeiladu tai yr oedd dirfawr angen amdanynt ac am hynny ni ellid prynu llathen o goed nac odid ddim defnyddiau adeiladu heb drwydded; ac os dymunid cynnal cyngerdd neu unrhyw gyfarfod cyhoeddus a olygai drefnu pryd o fwyd i artistiaid roedd yn ofynnol sicrhau dogn swyddogol brin o fenyn a siwgr a the gan y Swyddfa Fwyd. Ac eto mae'n syndod fel y meithrinwyd pobl i beidio â defnyddio eu dogn personol er mwyn eu galluogi i gyfrannu. Rhywsut, rhywfodd, roedd bob amser ddyrnaid o 'flawd' yng ngwaelod celwrn pob gwraig radlon!

Cynhaliwyd pob math o gyfarfodydd er mwyn codi arian, gan gynnwys cyngherddau, dramâu, nosweithiau llawen, gyrfaoedd chwist, a ffeiriau haf a olygai waith caled o dan amgylchiadau cyfyng—ac fel y digwydd bob amser ar ffordd droellog nad yw'n hawdd gweld ei diwedd, fe ddigalonnodd amryw o'r cerddwyr cynnar. Ond ni wnaeth hynny ond caledu penderfyniad y gweddill ffyddlon ac aeth pob her yn hwyl.

Bu farw John B. Morgan, y cadeirydd cyntaf, ym 1947 a dilynwyd ef gan William Carey Stephens, adeiladydd lleol y bu'n fendith i'r pwyllgor wrth ei ddawn fel crefftwr. Yr is-gadeirydd oedd Abraham Jones, Glanstewi, a fu'n fawr ei frwdfrydedd dros y blynyddoedd. Oherwydd galwadau personol ymddiswyddodd Reginald Holdcroft, yr ysgrifennydd gwreiddiol, ym 1949, a dilynwyd ef gan David Jenkins, gyda Ceredig S. Davies yn is-ysgrifennydd.

Roedd teulu Gogerddan eisoes wedi addo darn o dir, addewid a gyflawnwyd gan Goleg y Brifysgol pan brynodd yr ystad. Pan dynnwyd i lawr Bafiliwn yr Eisteddfod Genedlaethol a gynhaliwyd yn Aberystwyth ym 1952, bu'r pwyllgor bach yn ddigon hyf i brynu 300 o gadeiriau coed am £130—a hynny cyn torri tywarchen! At y £590 a oedd eisoes yn y gronfa ychwanegwyd £222.3s trwy gasgliad yn yr ardal, ac er nad oedd hynny'n ddigon o bell ffordd i dalu am y neuadd newydd aeth yr ysgrifennydd ati i lunio cynllun a dderbyniwyd gan Bwyllgor Cynllunio y Cyngor Gwledig. Rhoddodd hyn sbardun i'r pwyllgor, a chyda chydweithrediad parod cangen leol Sefydliad y Merched, aed ati i drefnu ffair haf. Ceisiwyd a chafwyd cefnogaeth hael a pharod nifer da o gwmnïau enwog iawn yn ogystal â rhai newydd.

Ond hyd yn oed ym 1953 roedd yn ofynnol cael trwydded i brynu coed a thrawstiau dur—hebddynt ofer oedd pob ymdrech. Wedi llawer o falu a silio, a mwyfwy o holi, daeth goleuni. Yn Llanbadarn Fawr cafwyd o hyd i bump o drawstiau dur a fwriadwyd ym 1939 ar gyfer to garej loriau. Fe'u prynwyd am £125 a hynny'n ddidrwydded am eu bod yn ail-law. Yna, ym Mhenparcau roedd iard contractiwr adnabyddus a fu farw yn ystod y rhyfel. Yno cafwyd cyflenwad digonol o ffenestri, drysau a grisiau, coed i'r llwyfan a'r to—a hynny eto heb ofyn trwydded! Roedd eto angen trawst dur i gynnal y llwyfan—a phrin iawn oedd y gobaith, ond yn fynych fe geir bod rhyw dda ym mhob drygioni. Pan gaewyd y rheilffordd i Gaerfyrddin fe glywodd un o'r pwyllgor fod rhai o'r cledrau dur wedi'u storio yn Llanilar. Roedd hynny'n ddigon!

Ar bnawn Sadwrn, 9 Mai 1953, cynhaliwyd seremoni fechan i dorri seiliau'r neuadd a gwahoddwyd gwragedd y ddau gynghorwr lleol—Mrs R. R. Davies, Llwyngronw, a Mrs Jenkyn Davies, Pant-drain—i osod y ddwy garreg gyntaf.

Llafur cariad a gododd y neuadd ac am mai wedi oriau gwaith y dydd yr aed ati i adeiladu o dan gyfarwyddyd William Carey Stephens, bu'n waith hir a llafurfawr—ond nid oes ball lle bo ewyllys barod. At hynny, roedd yn ofynnol sicrhau cronfa ddigonol.

Ar nos Fercher, 28 Medi 1960, er dirfawr lawenydd i bawb, daeth tyrfa ynghyd i weld agor Neuadd y Penrhyn gan J. Garfield Magor Davies, Llandre. I ddathlu'r amgylchiad cyfrannodd Cyngor Sir Aberteifi rodd o £400 i chwyddo'r gronfa.

Yn ystod haf 1963, gyda dymuniadau da Pwyllgor y Neuadd, aeth dwy o'i aelodau diwyd ati i drefnu'r carnifal cyntaf a gafwyd yn y pentre, ac fel na bai hynny'n ddigon iddynt aeth Mrs Nesta Edwards a'r ddiweddar Mrs Vera Evans ati hefyd i drefnu'r eisteddfod gadeiriol gyntaf o gyfres sy'n dal i ffynnu.

Y cenedlaethau yn eu tro sy'n creu hanes bro a chenedl, a cheisiwyd adrodd yma beth o'r hanes a berthyn i fro Dafydd ap Gwilym. Erbyn hyn fe welir cymaint fu'r newid yn ystod y deugain mlynedd diwethaf yma a diau y profir llawer newid cyffrous eto—ond o adnabod ddoe ac echdoe y mae gwerthfawrogi breintiau heddiw a gobeithion yfory.

Ysgol Trefeurig, 1938.

Ysgol Trefeurig, 1992.

Ysgol Penrhyn-coch, 1935.

Ysgol Penrhyn-coch, 1992.